A C T I V I T

**PRÉPARATION
AU CERTIFICAT PRATIQUE DE FRANÇAIS COMMERCIA
DE LA CHAMBRE DE COMMERCE ET D'INDUSTR**

Marie-Odile Sanchez Macagno
Lydie Corado

faire des
affaires
en français

CORRIGÉS

**Analyser...
S'entraîner...
Communiquer...**

HACHETTE
Livre
Français langue étrangère
58, rue Jean-Bleuzen, 92170 VANVES

DANS LA MÊME COLLECTION

- **ÉCRIRE**
Odile Chantelauve-Chiari

- **ÉCRIRE POUR CONVAINCRE**
Gérard Vigner

- **RÉDIGER UN RÉSUMÉ, UN COMPTE RENDU, UNE SYNTHÈSE**
Claire Charnet et Jacqueline Robin-Nipi

- **FAIRE DES AFFAIRES EN FRANÇAIS**
Marie-Odile Sanchez et Lydie Corado

Tous les ouvrages sont accompagnés de corrigés.

Pour découvrir nos nouveautés,
consulter notre catalogue en ligne,
contacter nos diffuseurs, ou nous écrire,
rendez-vous sur Internet :
www.fle.hachette-livre.fr

Couverture : Gilles Vérant
Conception et réalisation : Marion Fernagut

ISSN 1275-4129

ISBN 2 01 15 5081 5
© Hachette Livre 1997, 43 quai de Grenelle, 75905 Paris Cedex 15

Sommaire

L'entreprise et son environnement

L'entreprise et son personnel

L'entreprise et son fonctionnement

L'entreprise et ses partenaires

 # LA FRANCE ET LA FRANCOPHONIE

L'ENTREPRISE ET SON ENVIRONNEMENT

LA FRANCE GÉOGRAPHIQUE

Élève pp. 6-7

 *

LES DOM-TOM

Élève p. 7

 *

- **Départements d'outre-mer** : la Guadeloupe → *Point-à-Pitre* ; la Martinique → *Fort-de-France* ; la Réunion → *Saint-Denis*.
- **Territoires d'outre-mer** : la Nouvelle-Calédonie (Pacifique) → *Nouméa* ; la Polynésie française : ensemble de 118 îles et atolls du Pacifique dont la plus connue est Tahiti → *Papeete* ; les îles Wallis-et-Futuna (Pacifique Sud) → *Mata Utu*.

LA FRANCE ADMINISTRATIVE

Élève p. 8

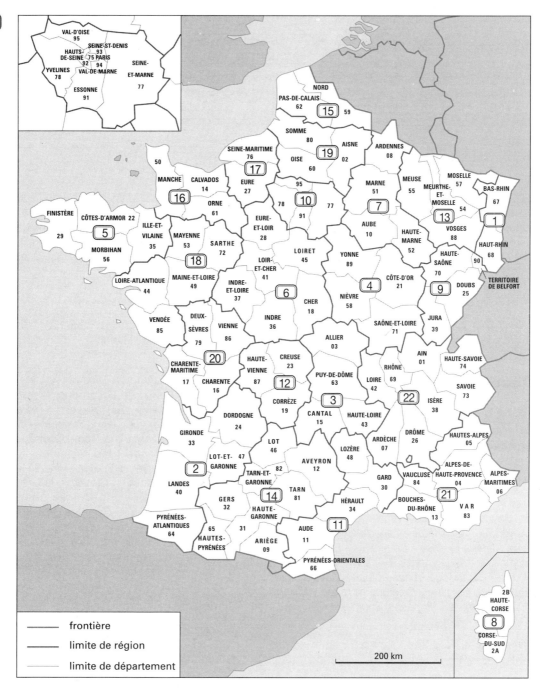

——	frontière
——	limite de région
——	limite de département

200 km

LA FRANCOPHONIE

Élève p. 10

4 * *Aperçu sur l'Agence de coopération culturelle et technique*

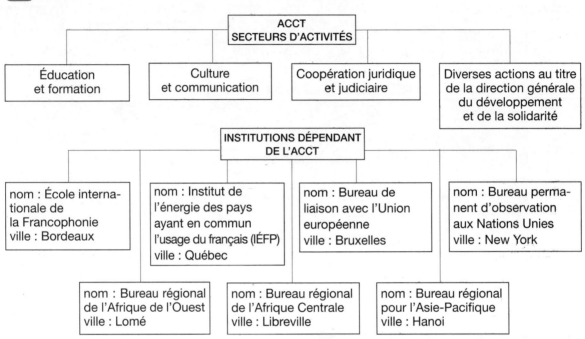

Élève p. 11

5 *

• **Afrique** → *Bénin - Burkina-Faso - Burundi - Cameroun - Cap-Vert - Centrafrique - Comores - Congo - Côte-d'Ivoire - Djibouti - Égypte - Gabon - Guinée - Guinée-Bissau - Guinée équatoriale - Madagascar - Mali - Maroc - Maurice - Mauritanie - Niger - Rwanda - Saint-Thomas-et-Prince - Sénégal - Seychelles - Tchad - Togo - Tunisie - Zaïre*.*
• **Amérique** → *Canada - Canada-Nouveau Brunswick - Canada-Québec - Dominique - Haïti - Sainte-Lucie.*
• **Asie** → *Cambodge - Laos - Liban - Viêt-nam.*
• **Europe** → *Bulgarie - Belgique - France - Luxembourg - Moldavie - Monaco - Roumanie - Suisse.*
• **Océanie** → *Vanuatu.*

* Depuis mai 1997, le Zaïre s'appelle *République démocratique du Congo.*

Élève p. 11

6 *

la Belgique → *Bruxelles* ; le Bénin → *Porto-Novo* ; la Bulgarie → *Sofia* ; le Burkina-Faso → *Ouaga-* *dougou* ; le Burundi → *Bujumbura* ; le Cambodge → *Phnom Penh* ; le Cameroun → *Yaoundé* ; le Canada → *Ottawa* ; le Cap-Vert → *Praia* ; le Centrafrique → *Bangui* ; les Comores → *Moroni* ; le Congo → *Brazzaville* ; la Côte-d'Ivoire → *Abidjan* ; Djibouti → *Djibouti* ; la Dominique → *Roseau* ; l'Égypte → *le Caire* ; la France → *Paris* ; le Gabon → *Libreville* ; la Guinée → *Conakry* ; la Guinée-Bissau → *Madina-Do-Boe* ; la Guinée équatoriale → *Malabo* ; la Guyane → *Cayenne* ; Haïti → *Port-au-Prince* ; le Laos → *Vieng-chan* (capitale administrative) - *Luang Prabang* (capitale royale) ; le Liban → *Beyrouth* ; le Luxembourg → *Luxembourg* ; Madagascar → *Antananarivo* ; le Mali → *Bamako* ; le Maroc → *Rabat* ; l'île Maurice → *Port-Louis* ; la Mauritanie → *Nouakchott* ; la Moldavie → *Kichinev* ; Monaco → *Monaco-ville* ; le Niger → *Niamey* ; le Nouveau-Brunswick → *Fredericton* ; le Québec → *Québec* ; la Réunion → *Saint-Denis* (chef-lieu) ; la Roumanie → *Bucarest* ; le Rwanda → *Kigali* ; Saint-Thomas-et-Prince (Sao Tomé e Principe) → *Sao Tomé* ; Sainte-Lucie → *Castries* ; le Sénégal → *Dakar* ; les Seychelles → *Victoria* (île Mahé) ; la Suisse → *Berne* ; le Tchad → *N'Djamena* ; le Togo → *Lomé* ; la Tunisie → *Tunis* ; Vanuatu → *Vila* ; le Viêt-nam → *Hanoi* ; le Zaïre* → *Kinshasa.*

LES FRANCOPHONES DANS LE MONDE

Élève p. 12

 ⋆

Francophones réels / Francophones occasionnels
• en Afrique : trente millions mille / quarante millions six cent dix-sept mille
• en Europe : soixante-trois millions neuf cent cinquante-deux mille / neuf millions deux cent mille
• en Asie : un million six cent vingt-sept mille / huit cent dix mille
• dans les Amériques : huit millions six cent quatre-vingt-deux mille / trois millions cinq cent soixante-cinq mille
• dans l'Océan Indien : un million huit cent cinquante mille / deux millions cent quarante-deux mille
• en Océanie : trois cent cinquante mille / trente-trois mille

Élève p. 12

⌊ 8 ⌋ ⋆

VRAI : 1 - 8.
FAUX : 2 - 3 - 4 - 5 - 6 - 7 - 9 - 10.

Élève p. 13

⌊ 9 ⌋ ⋆⋆ *XIXᵉ conférence France-Afrique à Ouagadougou*
cadre - fournir - programme - location - personnels - équipements - éclairagistes - fournitures - entreprises - état - similaires - financières - remise - dossiers.

Élève pp. 13-14

⌊ 10 ⌋ ⋆⋆

1. séminaire - 2. conférence - 3. colloque - 4. sommet - 5. congrès.

Élève p. 14

⌊ 11 ⌋ ⋆⋆

1. se tenir - 2. aménagement - 3. consulter - 4. oscillent - 5. numéro - 6. enregistré - 7. d'exploitations - 8. rang - 9. réseau - 10. souterraine.

TÉLEX

ENVOI D'UN TÉLEX

Élève p. 16

⌊ 12 ⌋
⋆

> FETAMER 437610 F
> 071 14.50
> LAPHYMA 248219 F
>
> SOUHAITONS / VEUILLEZ RÉSERVER 2 CHAMBRES INDIVIDUELLES AVEC SALLE DE BAINS DU 5 AU 8 JUIN COMPRIS.
> SALUTATIONS.
>
> M. LEBON
>
> FETAMER 437610 F
> LAPHYNA 248219 F

Élève p. 16

⌊ 13 ⌋
⋆

> LAPHYNA 248219 F
> 071 15.30
> FETAMER 437610 F
>
> ATTN : M. LEBON
>
> REGRETTONS DE NE POUVOIR VOUS SATISFAIRE. HÔTEL COMPLET À CETTE DATE. HÔTEL DES ANTILLES À POINTE-À-PITRE (télex : HOTANTI 926519 F) DISPOSE ENCORE DE QUELQUES CHAMBRES.
> SALUTATIONS.
>
> LAPHYNA 248219 F
> FETAMER 437610 F

CARTE DE VISITE

Élève p. 17

***

JOUET-CLUB
13, boulevard de la Libération - F 69002 LYON

Stéphanie BÉGUÉ
Responsable des achats
Rhône-Alpes

vous remercie de l'excellent accueil que vous lui avez réservé lors de la visite, très intéressante, de vos ateliers de fabrication.

Tél. : 04 72 38 16 14 - Télécopie : 04 72 38 49 20

Élève p. 17

***

UNIVERSITÉ PAUL VALÉRY
Faculté des Lettres - Route de Mende, B.P. 5043
34032 MONTPELLIER III

Dr Jeannette PAILLARGUELLO

souhaiterait recevoir la liste des dernières parutions canadiennes en français de spécialités et vous remercie de l'intérêt que vous porterez à sa demande.

Tél. : 04 67 54 61 00 - Télécopie : 04 67 51 61 05

TEST

* 2b : Lionel Jospin, parti socialiste, est devenu Premier ministre en juin 1997.

L'IMMIGRATION

LE DROIT À LA DIFFÉRENCE

Élève p. 21

 ***

1. - *le couscous* → pays du Maghreb (Algérie, Maroc, Tunisie).
- *la pizza* → l'Italie.
- *le cassoulet* → régions Midi-Pyrénées et Languedoc-Roussillon.
- *la paella* → l'Espagne.

2. - *le couscous* se prépare avec de la semoule, de la viande (mouton, poulet), des légumes et de la sauce piquante.
- *la pizza* est faite à base de pâte à pain garnie de tomates, anchois, olives, fromage, champignons, etc.
- *le cassoulet* est un plat composé de filets d'oie, de canard, de porc ou de mouton confits avec des haricots blancs, et, éventuellement, de diverses charcuteries (comme les saucisses de Toulouse).
- *la paella* est composée de riz cuit dans un poêlon avec des moules, des crustacés et de la viande ; elle est parfumée au safran.

3. Depuis le XIXᵉ siécle, l'immigration l'emporte régulièrement sur l'émigration en raison du développement industriel, des pertes humaines subies au cours des deux guerres mondiales (1914/1918 - 1939/1945) et d'une dénatalité progressive.
La première vague importante d'immigration commence en 1851 avec la révolution industrielle (les Belges étaient déjà en France en 1850). La France avait besoin de main-d'œuvre et faisait appel aux étrangers des pays frontaliers ; les Italiens du nord furent les premiers à venir, puis, vers la fin du XIXᵉ siècle, des jeunes de l'Italie du sud furent « recrutés » par des organisations locales qui les envoyaient en France.
La deuxième vague importante commence en 1920, après la « grande guerre », pour aider à la reconstruction du pays. La France fit alors appel à l'émigration coloniale, essentiellement à des Algériens. D'autres Italiens arrivèrent pour travailler plus particulièrement dans le bâtiment et au moment de la création des lignes du métro ; ensuite vinrent tous ceux qui fuirent l'Italie lors de la montée au pouvoir de Mussolini. En 1936, la communauté italienne était la plus nombreuse en France. Des Espagnols, républicains, fuyant la dictature de Franco, commencèrent à s'y installer.
La troisième vague d'immigration eut lieu en 1950 ; c'est à ce moment que fut créé l'Office national de l'immigration. Après la guerre d'Algérie, de nombreux Kabyles choisirent de s'expatrier définitivement en métropole : c'est le début des regroupements familiaux.
Au cours des années soixante, eut lieu un retour en force des Espagnols, hommes et femmes, qui occupaient surtout des postes de service.
En 1975, les Espagnols et les Algériens étaient alors les deux communautés les plus fortement implantées en France. (D'autres étrangers, en particulier des Portugais, des Polonais et des Russes complétèrent également ces communautés d'immigrés).
En France, l'exode rural au cours de ce siècle est dû en grande partie au recul de l'agriculture et aux difficultés de plus en plus croissantes qui s'ensuivent. Le dépeuplement des campagnes se fait au profit des villes où les jeunes croient trouver plus facilement un emploi assurant leur sécurité économique.

4. Cette banderole peut être arborée au cours d'une manifestation antiraciste par exemple, dans laquelle les immigrés revendiquent le droit à la différence et la reconnaissance de leurs traditions, tout comme les Français de la province installés à Paris.

5. « Même combat » signifie qu'immigrés étrangers et migrants nationaux se trouvent devant les mêmes problèmes d'acceptation par une société urbaine ; il ne peut donc exister aucune différence entre les uns et les autres. Tous les immigrés, étrangers et nationaux, abandonnent leurs racines pour s'installer dans un environnement différent du leur, sans pour autant renier leurs propres origines ; d'où la constatation et la revendication de l'égalité entre étrangers et Français.

L'ACQUISITION DE LA NATIONALITÉ FRANÇAISE
Élève p. 22

☐2 ** *Devenir Français*

VRAI : 3 - 5 - 6 - 10. FAUX : 1 - 2 - 4 - 7 - 8 - 9.
* Le gouvernement socialiste de L. Jospin a modifié la loi sur l'acquisition de la nationalité française en été 1997.

LE CHÔMAGE

Élève p. 23

☐4 **

1. Taux de chômage : - hommes : 10,50 %
          - femmes : 14,57 %
          - ensemble : 12,32 %
2. Population active employée :
          - hommes : 12 439 000
          - femmes : 9 600 000
          - ensemble : 22 039 000

Élève p. 23

☐5 ★ PROPOSITION :

Les femmes représentent actuellement presque la moitié de la population active en France ; cependant, ce sont elles les plus touchées par le chômage.
Pendant très longtemps, les femmes n'ont pas suivi d'études professionnelles ou supérieures : elles étaient donc moins qualifiées que les hommes et n'occupaient souvent que des emplois précaires. D'autre part, les nombreuses crises économiques qui secouent la France depuis 1973 peuvent expliquer en partie le chômage actuel ; si une entreprise, quelle que soit son importance, doit faire face à des problèmes financiers, les licenciements affecteront prioritairement les femmes qui ne sont pas encore considérées comme de vrais chefs de famille ; si une restructuration a lieu, des hommes prendront leur place, même s'ils doivent changer de catégorie ou de salaire. Crise oblige ! Par ailleurs, il existe encore dans la mentalité masculine une certaine réticence à engager des femmes, même si leur expérience et leur curriculum vitae sont excellents ; l'avantage sera toujours donné à des hommes possédant la même qualification ou parfois une qualification inférieure.
Les causes du chômage féminin sont nombreuses, mais souvent peu compréhensibles.

Élève p. 23

☐6 **

Hommes : **Population active** → Treize millions huit cent quatre-vingt-dix-neuf mille.
    Chômeurs → Un million quatre cent soixante mille.
Femmes : **Population active** → Onze millions deux cent trente-huit mille.
    Chômeurs → Un million six cent trente-huit mille.
Ensemble : **Population active** → Vingt-cinq millions cent trente-sept mille.
    Chômeurs → Trois millions quatre-vingt-dix-huit mille.

CHÔMAGE ET RÉGIONS
Élève p. 24

☐7 ★

1) l'Alsace - la Lorraine - la Franche-Comté - Paris-Île-de-France - le Limousin.
2) la Bretagne - la Basse-Normandie - le Centre - la Bourgogne - l'Auvergne - Midi-Pyrénées.
3) Poitou-Charentes - les Pays de la Loire - la Picardie - la Champagne-Ardenne - Rhône-Alpes - la Corse.
4) le Nord-Pas-de-Calais - la Haute-Normandie - l'Aquitaine - le Languedoc-Roussillon - Provence-Alpes-Côte-d'Azur.

Élève p. 24

☐8 ★ PROPOSITION :

La région parisienne (1) regroupe une part importante de l'industrie française et les autres régions sont, pour la plupart, des régions métallurgiques bien situées géographiquement et qui ont su profiter de l'ouverture des marchés européens.
Le Nord-Pas-de-Calais (4) est une région qui n'a pas retrouvé la totalité de son ancien potentiel après les différentes crises affectant, entre autres, le secteur textile. Les autres régions sont des régions peu industrialisées, sauf exception (Aquitaine), ne disposant pas de matières premières mais qui, par la douceur de leur climat, attirent une nombreuse population.

CHÔMAGE ET DIPLÔMES
Élève p. 25

☐9 **
VRAI : 1 - 2 - 5 - 8 - 9 - 10. FAUX : 3 - 4 - 6 - 7.

Élève p. 26

☐10 **
1. perspectives - 2. négociations - 3. l'assainissement - 4. percevoir - 5. concertation - 6. conjoncture - 7. dresse - 8. militants - 9. plafonnés - 10. partenaires.

Élève pp. 27-28

(11)
**
1.

✂ ▬ ▬ ▬ ▬ ▬ ▬ ▬ ▬ ▬ ▬ ▬ ▬ ▬ ▬ ▬

TITRE D'ABONNEMENT PRIVILÉGIÉ

À compléter, à détacher et à retourner dès aujourd'hui accompagné de votre règlement sous enveloppe affranchie : à DEFIS, BP 1119, 86061 POITIERS cedex 9

Oui, je désire recevoir DEFIS pendant
☒ **1 An,** soit 11 numéros dont un double
+ 1 hors-série, le tout au prix exceptionnel de 230 F, au lieu de 330 F (prix de vente au numéro)
+ mon cadeau DEFIS : le logiciel de calculs financiers

Oui, je désire recevoir DEFIS pendant
☐ **2 Ans,** soit 22 numéros dont 2 doubles
+ 2 hors-série, le tout au prix exceptionnel de 340 F, au lieu de 660 F (prix de vente au numéro)
+ mes cadeaux DEFIS : le logiciel de calculs financiers + la brochure "Bien choisir son statut juridique"

Je règle ma commande par :
☒ Chèque bancaire ou postal ☐ Mandat-lettre à l'ordre de DEFIS
☐ Carte bleue _____ expire fin _____
Signature obligatoire *J. Martin*
Nom **MARTINEZ** Prénom José-Luis
Société FLORESENCIA SA
Adresse 17, bd du Jeu de Ballon
Code postal 06130 Ville Grasse

☒ Je désire recevoir une facture acquittée. (les frais d'abonnement peuvent être pris en charge par votre entreprise)

GARANTIE SANS RISQUE
Si vous décidez de résilier votre abonnement, nous vous rembourserons sur simple courrier les numéros restant à servir.

Offre valable en France métropolitaine uniquement. Pour les DOM-TOM et l'étranger, les envois se font uniquement par avion, 310 F pour 1 an. Paiement par chèque ou par mandat poste n° 1406 pour les DOM et n° 1405 MP1 pour les TOM. Paiement exclusivement par mandat poste n° 1405 MP1 pour l'étranger. Pour la Belgique : abonnement 1 an (11 numéros) : 1695 FB + 150 FB port, soit 1845 FB. Adressez votre commande et votre règlement aux : Éditions SOUMILLION, 28 avenue Massenet - B - 1190 BRUXELLES, Belgique. Tél. : 02 345 91 92. SGB compte n° 210 0405835.39.

11 NUMÉROS
dont 1 numéro double
+ 1 hors-série
+
1 logiciel de
calculs financiers

Logiciel de calculs financiers

DÉFIS Entreprendre et réussir

DEF 02/96 - 03/96

2.

| N° 97 3552180 | Date 25/04/.... | Ordre *Abonnement «Défis»* | Montant 230 | 00 |

Crédit Mutuel B.P.F. 230

CCM GRASSE LA FOUX
7 AVENUE THIERS
Payez contre ce chèque non endossable *Deux cent trente francs*
sauf pour remise à un établissement bancaire ou assimilé
Somme en toutes lettres

à **DÉFIS**
payable à 97 15304940 A *Grasse* , le 25 avril 19 ...

GRASSE
TEL 04.93.36.66.36
COMPENSABLE A
CANNES

M. MARTINEZ JOSE-LUIS
17, Bd du Jeu de Ballon
06130 GRASSE

J. Martin
(44)

▼ Chèque n° ▼ Compte n°

⑈3552180 ⑈00603588900⑆ 89551530494⑈

DEMANDE DE RENSEIGNEMENTS

Élève p. 29

(12) *

1. M. le Sous-Préfet de Thionville. 2. Virginie Ferré. 3. Demande de renseignements sur l'immatricula-tion en France d'une voiture achetée à l'étranger. 4. Retour en France à la fin d'un contrat de travail à l'étranger. 5. Destinataire : en haut de la lettre, à droite, légèrement plus bas que l'expéditeur. Expéditeur : en haut de la lettre, à gauche. Date : à droite, sous les coordonnées du destinataire. Signature : en bas de la lettre, à droite.

3 ÉCHANGES INTERNATIONAUX
Allez, circulez...!

CIRCULATION DES MARCHANDISES

Élève p. 31

1 ** *Comment acheter à l'étranger*

- *importation* : Fait d'introduire sur le territoire français des marchandises dans le but de les transformer et/ou de les commercialiser.
- *bureau douanier* : Bureau d'entrée des marchandises, aux frontières, dans les ports et les aéroports et sur l'ensemble du territoire, notamment près des sièges des entreprises.
- *importateur* : Personne qui fait le commerce d'importation.
- *opération de dédouanement* : Opération qui assigne un régime douanier à un produit importé par une déclaration sur formulaire et, éventuellement, par l'acquittement d'une taxe.

Élève p. 31

2 *

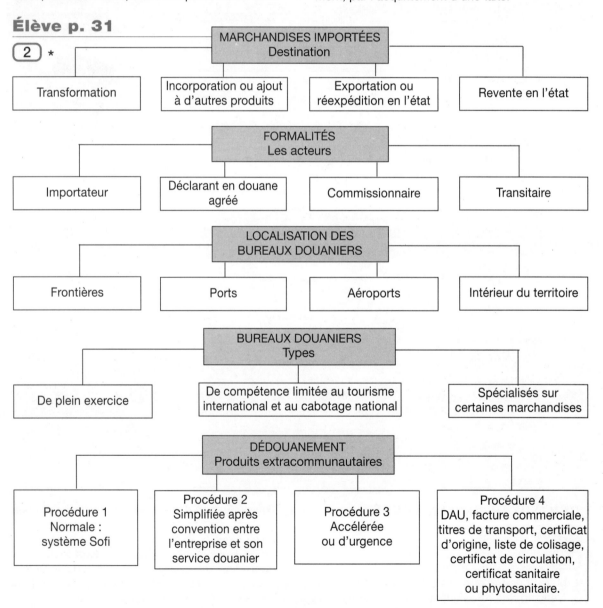

MARCHANDISES IMPORTÉES
Destination

| Transformation | Incorporation ou ajout à d'autres produits | Exportation ou réexpédition en l'état | Revente en l'état |

FORMALITÉS
Les acteurs

| Importateur | Déclarant en douane agréé | Commissionnaire | Transitaire |

LOCALISATION DES BUREAUX DOUANIERS

| Frontières | Ports | Aéroports | Intérieur du territoire |

BUREAUX DOUANIERS
Types

| De plein exercice | De compétence limitée au tourisme international et au cabotage national | Spécialisés sur certaines marchandises |

DÉDOUANEMENT
Produits extracommunautaires

| Procédure 1 Normale : système Sofi | Procédure 2 Simplifiée après convention entre l'entreprise et son service douanier | Procédure 3 Accélérée ou d'urgence | Procédure 4 DAU, facture commerciale, titres de transport, certificat d'origine, liste de colisage, certificat de circulation, certificat sanitaire ou phytosanitaire. |

Élève p. 32

3 ***

2. D - 3. C - 5. E - 7. B - 8. A.

CIRCULATION DES TRAVAILLEURS

Élève p. 33

4 *** *Travailler dans l'Union européenne*

ne... pas seulement... mais aussi - mais aussi - si - ainsi - ni... ni - toutefois/cependant - c'est-à-dire - lorsque - si..., également - si..., cependant/toutefois - finalement - cependant.

Élève p. 34

5 ** PROPOSITIONS :

1. Les travailleurs peuvent travailler dans n'importe quel pays de l'Union européenne.
2. Ils ont droit aux mêmes avantages sociaux, fiscaux et syndicaux que les habitants du pays et peuvent bénéficier d'un enseignement professionnel particulier et d'avantages pour le logement.
3. Aucun document n'est nécessaire.
4. Le travailleur dispose de trois mois pour trouver un emploi sans avoir à remplir de formalités.
5. S'il trouve un emploi, il lui sera demandé une carte de séjour pour pouvoir s'installer.
6. La carte de séjour est valable cinq ans et peut être renouvelée. Elle est conservée, même en cas de perte d'emploi. Dans le cas d'un chômage supérieur à un an, la durée de validité de la carte peut être limitée à un an lors du renouvellement.
7. Un membre d'une profession libérale peut s'installer à l'étranger s'il est muni d'un diplôme bac + 3 et en respectant les conditions du pays d'accueil.
8. Pour s'installer dans un pays étranger, les artisans et les commerçants doivent prouver une expérience de plusieurs années dans un autre pays membre.
9. Non. Les travailleurs étrangers jouissent des mêmes droits que tous les autres travailleurs au sein de l'entreprise, et ils sont également assurés de leur représentation et de leur défense.
10. Il existe cependant encore quelques entraves à la libre circulation des travailleurs comme, par exemple, la langue, les habitudes du pays, et le chômage.

Élève p. 34

6 **

1. prévisible - 2. ferroviaire - 3. décrocher - 4. portefeuille - 5. implications - 6. balance - 7. monétaires - 8. prospection - 9. fourchette - 10. respect.

Élève p. 35

7 **

1. franchise - 2. admission temporaire - 3. licence d'importation - 4. facture pro forma - 5. douane - 6. facture consulaire - 7. contingent - 8. zone franche - 9. balance commerciale - 10. transit.

Élève p. 35

8 * PROPOSITIONS :

1. Pour un pays, il est important que la balance du commerce extérieur soit en équilibre.
2. Le développement de l'informatique contribue à augmenter la compétitivité des entreprises.
3. Si vous omettez de déclarer vos objets de valeur à la douane, vous êtes passible d'une amende.
4. Les résultats de notre étude de marché sur l'Asie sont encourageants.
5. L'implantation de la monnaie unique européenne permet de favoriser les échanges internationaux et d'accélérer les paiements.

RÉPONSE À UNE DEMANDE DE RENSEIGNEMENTS
Élève p. 36

9 *

Objet - Madame - accusons - courant - remercions - votre - effet - secteur - répondre - listes - outre - précises - indications - nom - contacter - secteur - comprend - adresses - disponible - porte - nous - adresser - international - commande - Madame.

COMMANDE
Élève p. 37

10 *

D - A - C - B.

REMPLIR UN MANDAT INTERNATIONAL
Élève p. 38

 *

COUPON	ADMINISTRATION DES POSTES		MP 1

COUPON
(Peut être détaché par le bénéficiaire)

ADMINISTRATION DES POSTES DE FRANCE

MANDAT DE POSTE INTERNATIONAL

Cours du change [1]

Somme payée [1] *

S'il y a lieu application des timbres-poste ou indication de la taxe perçue

Montant en monnaie étrangère (en chiffres)

19 750   00

Montant en monnaie étrangère (en chiffres)

19 750   00

Date d'émission

20 mai ...

(En toutes lettres)

Dix neuf mille sept cent cinquante

Nom et adresse de l'expéditeur

Mme Teillet - Confexa

15, rue des Chaussetiers

63000 CLERMONT-FERRAND

Nom du bénéficiaire

Chambre de Commerce et d'Industrie Française

Rue et n°

Passeig de Gràcia n° 2

Lieu de destination

BARCELONE

Pays de destination

ESPAGNE

[1] A porter par l'Administration de paiement lorsqu'elle opère la conversion.

Timbre du bureau d'émission

Timbre du bureau d'émission

Indications du bureau d'émission   Somme versée *

N° du mandat   FRF

Bureau   Date

Signature de l'agent

N° 1405

DESTINATAIRE	C.C.I. de Barcelone		
		MONTANT	
EXPÉDITEUR	Dominique Teillet - Confexa	FRF	Destination
	15, rue des Chaussetiers - Clermont-Ferrand	*	Barcelone

* Le montant en FRF sera calculé au taux de change F/Pesetas au jour de l'opération.

UN PEU D'HUMOUR !

Élève p. 39

13 **

Dessin libre

PROPOSITIONS :

LES GAULOIS EN GAULE ! VIVENT LES PRODUITS BIEN DE CHEZ NOUS !
CONSOMMONS NATIONAL !
NON À L'INVASION COMMERCIALE !

EXPRIMONS NOTRE IRE TOUS ENSEMBLE DANS UNE MANIFESTATION, LE LENDEMAIN DE LA PLEINE LUNE, À L'HEURE OÙ LE SOLEIL EST AU ZÉNITH.
CONCENTRATION DE CHARS SUR LA VOIE APPIENNE.

LE RECRUTEMENT
Emploi : coup de pouce !

À LA RECHERCHE D'UN EMPLOI

Élève p. 41

1 ** *Les boutiques « club emploi » font reculer le chômage*

1. À qui s'adresse la formule « club emploi » ?
2. Quel type de méthode utilisez-vous ?
3. Comment les candidats sont-ils formés à l'issue de la sélection ?
4. Qu'est-ce qui caractérise la démarche proposée ?
5. En quoi l'approche de « club emploi » est-elle différente ?
6. Quels autres avantages présente la formule « club emploi » ?

Élève p. 41

2 ** PROPOSITIONS :

Halte au chômage ! / Du nouveau dans la lutte contre le chômage / Les chômeurs se mobilisent…

Inspirées d'une formule mise au point au Canada dans les années 80, les boutiques « club emploi » font leur apparition en France. La méthode proposée s'adresse à des personnes prêtes à l'emploi et extrêmement motivées. Appuyée par différents organismes locaux ou régionaux, la boutique sélectionne un groupe de candidats qui, durant quatre semaines, sera entraîné et aidé dans ses démarches. Outre la stratégie classique de conseils pour la rédaction de CV, le « club emploi » propose des simulations vidéo d'entretien, des interventions de chefs d'entreprise, mais surtout il met à la disposition des demandeurs d'emploi du matériel (téléphone, télécopieurs, photocopieurs…) ainsi que la logistique de la Chambre de Commerce et d'Industrie de Limoges qui l'abrite. Ainsi

encadrés, les premiers résultats sont là : 70 % des 50 premiers candidats sélectionnés par « club emploi » ont retrouvé un emploi.

Élève p. 41

3 **

> **Une formule qui a fait ses preuves contre le chômage !**
>
> Après le Canada, Bondy, Vire, Valenciennes et Limoges,
> la boutique « club emploi » de Rouen ouvre ses portes et met son savoir-faire et sa logistique au service des demandeurs d'emploi. Des méthodes nouvelles, des rencontres avec des chefs d'entreprise, le soutien actif de la Chambre de Commerce et de l'Industrie de Limoges…, autant d'atouts pour retrouver rapidement un emploi.
> Demandeurs d'emploi, étudiants, chefs d'entreprise…, venez nombreux à la réunion de présentation qui aura lieu :
>
> Lundi .... à 18h
> Boutique « club emploi »
> Hôtel des Associations
> 36, rue de la Libération - ROUEN
>
> Inscription du lundi au vendredi de 10h à 17h
> Tél. : 02 35 35 46 28 - Fax : 02 35 35 46 30

RÉDACTION D'UN CV
Élève pp. 42-43

4 * *(voir page 16)*

BERGER
Marie-Louise
Née à St-Vallier-de-Thiey (06) le 9 février 1955
Nationalité française
Divorcée, trois enfants
Adresse : 18, rue de Charenton, 75012 PARIS
Tél. : 01.41.15.45.69

FORMATION
1974-1976 : BTS de secrétariat trilingue anglais-allemand
1972-1974 : DEUG d'allemand
1972 : Baccalauréat Gestion, mention AB

EXPÉRIENCE PROFESSIONNELLE
De 1976 à 1983 : Secrétaire
                Parfumerie Mane et Fils
                Route de Vence, 06130 GRASSE
De 1985 à ... : Secrétaire du Directeur Commercial
                Aroma SA
                96, rue du Maine, 75014 PARIS

CONNAISSANCES PRATIQUES
Différentes formations en informatique (Excel, Lotus...), sténodactylographie (... mots/mn)*

LANGUES ÉTRANGÈRES
Trilingue français-anglais-allemand

GONTRAND
Marie-Pierre
Née à La Valette (Malte) le ...
Nationalité française
Mariée, deux enfants
Adresse : 5, rue Ste-Venise, 75011 PARIS
Tél. : 01.41.23.98.17

FORMATION
19..-19.. : Diplôme de secrétariat bilingue
19.. : Bac

EXPÉRIENCE PROFESSIONNELLE
De 19.. à 19.. : Responsable du secrétariat
                Léviathan SA
                66, rue des Plâtrières, 94000 CRÉTEIL
De 19.. à 19.. : Secrétaire
                Dubreuil Frères

CONNAISSANCES PRATIQUES
Informatique (différents types de traitements de texte...).
Cours de gestion et d'informatique (niveau avancé) ANPE Créteil.

LANGUES ÉTRANGÈRES
Excellent niveau d'anglais.

CENTRES D'INTÉRÊT
Bénévole depuis 19.. dans une association d'insertion par le travail de jeunes en difficulté.

VIORNERY
Jeannine
Née à Mauguio (34) le 27 janvier 1950
Nationalité française
Veuve, sans enfant
Adresse : 38, rue de l'Orillon, 75011 PARIS
Tél./Fax : 01.43.45.17.89

FORMATION
1970-1973 : Licence de Lettres modernes, mention Bien
                (Université de Paris Sorbonne)
1973 : Diplôme de sténodactylographie
1969 : Baccalauréat

EXPÉRIENCE PROFESSIONNELLE
De 1974 à ... : Attachée de direction
                Exports Asociados SA
Du 1er juillet au 31 décembre 1973 : Stage à la Chambre de Commerce et d'Industrie Française de Mexico D.F.

CONNAISSANCES PRATIQUES
Informatique : stage de perfectionnement en cours.

LANGUES ÉTRANGÈRES
Bilingue français-espagnol
Anglais : lu, écrit, parlé : niveau moyen.
Cours de remise à niveau depuis janvier dernier.

LOISIRS
Échecs. Responsable du Club Échecs de la Maison des Jeunes et de la Culture de Montparnasse depuis plus de 10 ans.

* En France, la rapidité d'une sténodactylo se mesure au nombre de mots qu'elle est capable d'écrire en une minute. 90 mots/mn est une bonne vitesse.

LETTRE DE CANDIDATURE
Élève p. 44

 *

objet - parue - adresser - basé - actuellement - suite - possède - carrière - fois - motivée - preuve - comme - références - éventuel - attente.

LE RECRUTEMENT
RÉPONSE À UNE CANDIDATURE
Élève p. 45

 *

ACTÈRES CONSEIL
49, avenue Trudaine
75009 PARIS
Tél. : 01.41.46.93.08

N/Réf. : ST/MD/253
PJ : un descriptif de poste
Réf. : 5 A 019 F

Paris, le ...

Madame,

Nous avons bien reçu votre lettre concernant le poste de secrétaire de direction réf. 5 A 019 F.

Nous avons le plaisir de vous informer que votre CV a été retenu après une première sélection.

Vous trouverez ci-joint un descriptif du poste à pourvoir qui vous permettra de vous faire une idée plus précise des attentes de l'entreprise.

Un entretien avec notre équipe de recrutement est nécessaire avant que votre candidature soit soumise à notre client.

Nous vous prions donc de bien vouloir prendre contact le plus rapidement possible avec Michèle Dumont, chargée du suivi de ce dossier.

Veuillez agréer, Madame, l'expression de nos salutations distinguées.

Sonia Trochet
Responsable recrutement

PETITE ANNONCE : DEMANDE D'EMPLOI
Élève p. 46

8 ** PROPOSITION :

Secrétaire de direction trilingue anglais-allemand possédant une grande expérience dans le secteur de la parfumerie et des arômes industriels étudierait toutes propositions pour poste d'assistante direction commerciale Paris ou région parisienne. Prière de contacter : M.-L. Berger, « Club emploi Vanves », 56, rue Jean-Bleuzen, 92170 VANVES. Tél. : 01 56 84 90 12 - Fax : 01 56 84 90 14

Élève pp. 46-47

14 **

1. réduction - 2. obtenir - 3. cadre - 4. reprise - 5. titulaires - 6. débouchés - 7. précaires - 8. maîtrise - 9. au sein - 10. conseil.

Élève p. 47

15 *

1. retraite - 2. manœuvre - 3. poste - 4. postuler - 5. entretien.

À CHACUN SON SALAIRE
Élève p. 47

16 **

1e - 2c - 3d - 4a - 5f - 6b.

LES CONTRATS DE TRAVAIL

Élève p. 50

1 *

Durée :
CTT → Idem CDD.
CDI → Terme non prévu.
CDD → 18 mois maximum.

Employeur :
CTT → L'agence d'intérim.
CDI → L'entreprise, la société.
CDD → Idem.

Droits du salarié :
CTT → Accès aux installations collectives de l'entreprise. Mêmes droits que les autres salariés pour les congés payés.
CDI → Ceux prévus par la convention collective.
CDD → Les mêmes que les autres salariés. Droits aux dommages et intérêts (rupture de contrat par l'employeur), fin de contrat.

Mentions obligatoires du contrat :
CTT → Qualification de l'employé ; montant de sa rémunération ; terme de sa mission.
CDI → Mentions sur le bulletin de salaire sinon date ; nom des 2 parties ; date de la prise de fonction ; qualification ; rémunération ; lieu et horaires de travail ; droit aux congés payés.
CDD → Non précisées.

Période d'essai :
CTT → Fixée par convention.
CDI → Non précisée dans le document.
CDD → Pas obligatoire, entre un jour et un mois.

Rémunération :
CTT → Ne peut être inférieure à celle d'un salarié.
CDI → Non précisée dans le document.
CDD → Non précisée dans le document.

Obligations de l'employeur :
CTT → L'agence d'intérim règle tous les problèmes du salarié.
CDI → L'employeur doit délivrer un document précisant les conditions de travail.
CDD → L'employeur ne peut, en principe, rompre le contrat avant le terme prévu.

Rupture/fin de contrat :
CTT → L'entreprise doit proposer dans les 3 jours une nouvelle mission similaire ou devra payer l'employé jusqu'à la fin du terme prévu.

CDI → Démission ou licenciement.
CDD → En cas de faute grave ou de force majeure.

Élève p. 51

2 *

1. g - 2. l - 3. a - 4. h - 5. a - 6. j - 7. e - 8. d - 9. c - 10. e - 11. k - 12. f - 13. i - 14. a - 15. b

LE TRAVAIL AU QUOTIDIEN

LES CONGÉS EN FRANCE

Élève p. 51

3 *

Fêtes laïques :
- *1er janvier* : jour du Premier de l'an.
- *1er mai* : fête internationale du Travail.
- *8 mai* : signature de l'Armistice à la fin de la 2e Guerre mondiale (1945).
- *14 juillet* : fête Nationale. Début de la Révolution (1789) et prise de la Bastille qui marque la fin de l'absolutisme monarchique.
- *11 novembre 1918* : signature de l'Armistice à la fin de la 1re Guerre mondiale.

Fêtes religieuses :
- *Lundi de Pâques* (fête mobile).
- *Ascension* (fête mobile, 40 jours après Pâques).
- *Lundi de Pentecôte* (fête mobile, septième dimanche après Pâques).
- *15 août* : Assomption de la Vierge.
- *1er novembre* : Toussaint.
- *25 décembre* : Noël.

Élève p. 51

4 **

1. ouvrables - ouvrés ; 2. férié - chômé ; 3. de congés ; 4. supplémentaires.

L'APPRENTISSAGE

Élève p. 52

5 *

issue - embauche - essor - entrepreneurs - signés - avantages - argument - envisager - opérationnel - connaissance - assujettie - appliqués - dispensé - supérieur - attention.

FICHE D'ABSENCE
Élève p. 53

6 ★★★

FOYER DES PYRÉNÉES
FICHE D'ABSENCE

ANNÉE :
NOM :
PRÉNOM :
CATÉGORIE :
SERVICE :

	congés payés	arrêt maladie	congé de maternité	accident de travail	convenance personnelle	autres (à préciser)
JANVIER						
FÉVRIER						
MARS						
AVRIL						
MAI						
JUIN						
JUILLET						
AOÛT						
SEPTEMBRE						
OCTOBRE						
NOVEMBRE						
DÉCEMBRE						

Les absences sont calculées en demi-journées. Total hors congés payés : ☐

NOTE DE SERVICE
Élève p. 53

7
★★★

FOYER DES PYRÉNÉES
Note de service n° 12

Objet : mise en place d'une fiche d'absence personnelle annuelle.   **Date** : 20 octobre ...
Destinataire : l'ensemble du personnel.

Afin de mieux contrôler les jours d'absence de tous les employés et de pouvoir préparer des statistiques fiables à partir du 1er janvier prochain, le Service du Personnel mettra en place une fiche d'absence annuelle individuelle. Cette fiche, qui a été approuvée par le Comité d'Entreprise, pourra être consultée à tout moment par les intéressés sur simple demande au bureau du personnel.
Le nombre d'absences sera calculé en 1/2 journées et reporté mensuellement sur la fiche.

Service du Personnel

LETTRE D'ENGAGEMENT

Élève p. 54

8 ★★

à - dernier - confirmons - votre - prochain - qualité - votre - bénéficierez - treizième - accordés - notamment - ponctualité - activité - rappelons - amenée - travailler - durée - chacune - donc - délai - collective - cours - mis - initiative - sans - l'amabilité - dûment - ferez - mention - recevez - l'expression.

Élève p. 55

9 ★★

UN DROIT : LA GRÈVE

Élève p. 56

10 ★★

1. la grève perlée - 2. la grève tournante - 3. la grève sauvage - 4. la grève sur le tas - 5. la grève du zèle - 6. la grève bouchon.

Élève pp. 56-57

11 ★★

Premier mot : registre
d) Les étrangers ont parfois du mal à trouver le registre de langue approprié à la situation de communication.

Deuxième mot : siège
d) Le parti libéral vient d'obtenir la majorité des sièges à l'assemblée.

Troisième mot : crédit
d) Les cartes de crédit sont de plus en plus utilisées de nos jours et sont souvent préférées aux chèques.

Élève p. 57

12 ★★

1. acte - 2. revendications - 3. en cause - 4. clause - 5. pression - 6. ressources - 7. prélèvements - 8. régression - 9. exonération - 10. abouti.

6 LES DIFFÉRENTS TYPES D'ENTREPRISES

LA CRÉATION D'ENTREPRISE

Élève p. 59

1 * *Pépinières : du sur mesure pour les entreprises en création*

location - prestations - frais - tarif - raccordements - services - projet - convivialité - atouts - contexte - défaillance - moyenne - conseils - qualité - souplesse - déménagement - baisse - bail - accompagnement - place.

Élève p. 59

2 * PROPOSITIONS :

1. Une pépinière d'entreprises est un ensemble d'infrastructures de base louées à des entreprises qui viennent de se créer et qui ne disposent pas encore d'espace propre.
2. Les services offerts aux entrepreneurs sont tout ceux liés au loyer du local (téléphone, mobilier, standard, distribution du courrier, etc.).
3. Cette formule est bénéfique pour le chef d'entreprise car, outre les services liés au loyer, il bénéficie de conseils permanents et d'un contexte de convivialité créé par l'ensemble des entrepreneurs.
4. Les bons résultats enregistrés par les entreprises qui débutent en pépinière sont en partie dus aux conseils qui leur sont donnés, mais aussi à la sélection initiale pour faire partie des pépinières : il faut que le projet présenté soit de qualité.
5. Au terme du contrat passé avec la pépinière (23 mois), il est quelquefois possible (comme à Paris) de prolonger le bail jusqu'à trois ans ou bien d'être suivi par la pépinière lorsque l'entreprise s'installe à l'extérieur.

Élève p. 59

3 *

PROPOSITION : éléments devant figurer dans le résumé :
- tout ce qui est compris dans la location du local (charges et différentes prestations)
- objectif et caractéristiques des pépinières
- résultats obtenus, explication
- durée

QUEL STATUT JURIDIQUE CHOISIR ?

Élève p. 61

5 **

1. Entreprise individuelle → il s'agit d'un artisan, entrepreneur individuel.
2. SARL → pas de SA car il faut 7 associés au minimum, même s'ils possèdent les 250 000 F de capital initial minimum. Pour créer une SARL, il suffit d'être 2 associés au départ.
3. SARL ou SA → ces 10 personnes répondent à tous les critères de constitution de ces 2 sociétés : nombre minimum d'associés et capital minimum.
4. Oui. C'est le cas d'un artisan qui exerce seul → Annie Chabert représente sa propre entreprise ; il lui suffit de disposer d'un capital de 50 000 F.
5. SNC → en effet, ils sont commerçants, ils sont 3 (minimum 2 associés), le père peut conserver son statut de dirigeant et l'apport minimum est fixé librement.

LES ÉTAPES DE LA CRÉATION D'UNE ENTREPRISE

Élève p. 61

6 **

1. a - 2. d - 3. e - 4. g - 5. b - 6. f - 7. c.

LA FRANCHISE

Élève p. 63

7 * *La durée d'un contrat de franchise*

VRAI : 2 - 4 - 6 - 10.
FAUX : 1 - 3 - 5 - 7 - 8 - 9.

CHANGEMENT DE SIÈGE

Élève p. 63

[8] ***

PROPOSITION :

ÉTABLISSEMENTS LANSAC FRÈRES
15, place Victor-Hugo
31800 SAINT-GAUDENS
Tél. : 05 61 89 44 50 - Fax : 05 61 89 44 59

Saint-Gaudens, le 15 juin ...

Cher Client,

Afin d'améliorer nos services et satisfaire au mieux nos clients, nous avons le plaisir de vous communiquer le transfert de notre entreprise à partir du 1er septembre prochain, à l'adresse suivante :

ZI de la Plaine
Route d'Espagne
31800 SAINT-GAUDENS

Nos nouveaux numéros de contact seront les suivants :

téléphone : 05 61 89 25 14 (4 lignes) fax : 05 61 89 25 16

Nous serons à votre disposition de 8h à 16h, sans interruption, du lundi au vendredi et de 8h30 à 12h le samedi.

En espérant avoir le plaisir de vous recevoir à notre nouvelle adresse, veuillez recevoir, cher Client, l'expression de nos sentiments dévoués.

Yves LANSAC

CARTON D'INVITATION

Élève p. 64

[9] **

Occasion - transfert - Établissements - à - plaisir - vous - inauguration - nouveaux - l'inauguration - nombre - inauguration/acte.

Élève p. 64

[10] ** PROPOSITION :

CHAMBRE DE COMMERCE ET D'INDUSTRIE DE L'ARIÈGE
21, allée de Villote - BP 11 - 09001 FOIX

Charlotte BUGEOT
Directrice

vous remercie de votre invitation et vous informe qu'elle assistera à l'inauguration des nouvelles installations accompagnée de M. LEROY, président de la Chambre.

Tél. : 05 61 02 03 04 - Fax : 05 61 65 28 71

Élève p. 64

[11] ** PROPOSITION :

MAIRIE DE SAINT-GAUDENS
Rue de Goumetx - BP 163 - 31806
SAINT-GAUDENS

Jean-Louis JACQUIN
Maire adjoint

a le regret de vous informer qu'en raison d'une visite commerciale au Canada, il ne pourra assister à l'inauguration et vous prie de l'excuser.

Tél. : 05 61 94 78 00 - Fax : 05 61 94 78 78

PETITE ANNONCE : OFFRE DE LOCATION

Élève p. 65

 12
**

Vite ! une PA

VOTRE RUBRIQUE
offre de locaux

CHOISISSEZ LA RUBRIQUE DANS LAQUELLE VOUS SOUHAITEZ PARAÎTRE :
Partenariat-Recherche associé-Financement-Recherche /offre de locaux-Recherche /offre de mobilier-Recherche
/offre de matériel informatique-Bourse aux projets-Bourse aux inventeurs-Associations/bénévolat.

Votre annonce en 35 mots maximum.

À partir du 1er septembre, loue bureaux entièrement rénovés de 90 m2 dans centre-ville de Saint-Gaudens. 5 500 F par mois, charges comprises.
Facilités d'accès et de stationnement.

Inscrivez ci-dessous votre adresse. Si celle-ci est différente de celle à paraître, merci de le préciser.

Nom **LANSAC**   Prénom **Yves**
Société **Etablissements Lansac Frères**
Adresse **Z.I. de la Plaine, route d'Espagne**
Code Postal **31800**   Ville **Saint-Gaudens**
Téléphone **05 61 89 25 14**   Fax **05 61 89 25 16**

Ce coupon-réponse peut-être découpé ou photocopié. Joignez un chèque de 40 Francs si vous êtes abonné, 90 francs si vous ne l'êtes pas. Pour les publicités commerciales, nous consulter.
Chèque à l'ordre de « Initiatives magazine » 29, promenée Venise-Gosnat - 94200 Ivry-sur-Seine.
Initiatives Magazine se réserve le droit de réduire sans préavis les textes de plus de 35 mots et de refuser le passage d'une annonce qui ne correspondrait pas à son éthique.
Les termes et expressions laissant espérer des gains rapides ou faciles seront systématiquement modifiés.

Élève p. 66

 13
*

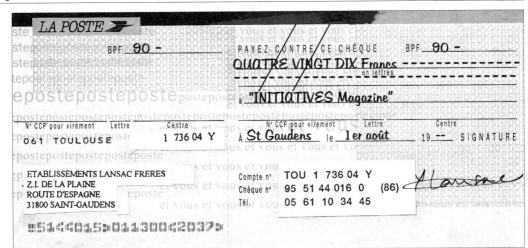

DOCUMENTS ÉCRITS DE L'ENTREPRISE

Élève p. 66

14 ***

1. procès-verbal - 2. note de synthèse - 3. circulaire - 4. rapport - 5. compte rendu.

Élève p. 67

15 **

1. acquérir - 2. actionnaires - 3. environnement - 4. insertion - 5. médiation - 6. accomplir - 7. lucratif - 8. passibles - 9. cession - 10. essor.

CONDITIONS DE PRODUCTION

Élève p. 69

1 * *Dans le Choletais, les confectionneurs jouent le circuit court*

PROPOSITIONS :

A. 1. Sous-traitance et couture/Circuit court et mode internationale/La Vendée au cœur de la mode/Petits ateliers et grandes marques...

2. Cette région regroupe pratiquement tous les principaux ateliers français de sous-traitance en matière d'habillement, travaillant en « circuit court ».

3. Les producteurs ont abandonné les vêtements fabriqués jusque-là tels que bleus de travail, tabliers, etc. pour s'orienter vers le prêt-à-porter haut de gamme des grands couturiers : Dior, Kenzo...

4. Ils viennent de se lancer dans la production de vêtements en « circuit court » pour les chaînes de distribution.

5. Le secteur connaît des difficultés en raison, d'une part, d'un marché déprimé qui oblige à serrer les prix et, d'autre part, de la concurrence de certains pays à main-d'œuvre bon marché.

6. En dix ans, 57,5 % des ateliers ont disparu ; des 80 façonniers qui travaillaient dans le Choletais, il n'en reste plus que 46, entraînant par conséquent la perte de plus de 4 000 emplois.

7. Ce sont deux personnes entreprenantes qui, malgré les difficultés du secteur, conservent leur optimisme en essayant de se maintenir sur le marché.

8. Leur voyage de prospection en Grande-Bretagne a été très positif et fructueux puisqu'ils sont revenus avec des commandes.

9. Le principal handicap de ces petits industriels est d'avoir des coûts de main-d'œuvre supérieurs à leurs homologues anglais par exemple (+ 20 %).

10. En revanche, ils peuvent créer de petites séries en très peu de temps.

11. Les sous-traitants anglais ne peuvent plus répondre aux demandes des stylistes car, s'étant alliés avec la grande distribution, ils ont investi de façon à produire beaucoup et ne peuvent donc plus être compétitifs sur de petites séries.

12. Les sous-traitants vendéens ont travaillé très tôt pour le prêt-à-porter haut de gamme et ils ont donc une expérience et un savoir-faire qui les différencient de leurs différents concurrents.

13. Alain Moreau a échoué dans sa tentative de délocaliser sa production à cause d'une main-d'œuvre peu professionnelle qui ne pouvait assurer la qualité de la production exigée.

14. Annick Cousseau regrette de ne pouvoir payer davantage ses couturières qui touchent uniquement 5 % de plus que le Smic.

15. Les patrons du Choletais ont des difficultés à recruter du personnel et pouvoir ainsi augmenter leur production et leur vente.

16. Malgré des salaires relativement bas, les patrons doivent faire face à des coûts de main-d'œuvre très importants (plus de 40 % du chiffre d'affaires). D'autre part, les emplois sont pénibles et ne sont pas valorisés.

B. *Attraits*	*Inconvénients*
- Main d'œuvre bon marché	- Main d'œuvre non
- Absence de grèves	qualifiée
- Grande capacité de	- Qualité du produit
production	déficiente
- Législation sociale	- Manque de
quasiment nulle...	compétence...

ACCIDENT DE TRAVAIL
Élève p. 69

2 * *Ampleur des risques*

233 863 : deux cent trente-trois mille huit cent soixante-trois.

15 854 : quinze mille huit cent cinquante-quatre.

20 : vingt.

7 907 230 : sept millions neuf cent sept mille deux cent trente.

5 600 000 000 : cinq milliards six cent millions.

50 % : cinquante pour cent.

36 % : trente-six pour cent.

PRODUIT

CYCLE DE VIE
Élève p. 70

3 ***

1. c - a - d - b	5. d - b - a - c
2. b - d - a - c	6. c - d - b - a
3. c - d - a - b	7. b - c - d - a
4. b - c - a - d	

volume
des ventes

(selon les produits)

	Lancement	Croissance	Maturité	Déclin
CROISSANCE DES VENTES **1**	c) lente, niveau des ventes très faible	a) forte, décollage des ventes	d) plafonnement des ventes à un niveau élevé	b) négative
CONCURRENCE **2**	b) monopolistique	d) monopolistique	a) oligopolistique	c) oligopolistique, mais le nombre des concurrents diminue
RENTABILITÉ **3**	c) négative	d) moyenne, de plus en plus forte	a) forte	b) moyenne puis faible
PRODUIT **4**	b) mise au point du produit, gamme étroite	c) production en grande série, extension de la gamme	a) segmentation du marché	d) réduction des gammes
DISTRIBUTION **5**	d) limitée : exclusive ou sélective, mise en place du produit	b) extension de la distribution	a) intensive	c) sélective et spécialisée
PRIX **6**	c) prix élevé (écrémage) ou bas (pénétration)	d) tendance à la baisse des prix, large gamme de prix	b) baisse des prix (forte concurrence)	a) baisse des prix, promotion par les prix afin d'écouler les stocks
COMMUNICATION **7**	b) rôle informatif **Objectif** : faire connaître le produit **Techniques** : publicité par les médias, échantillonnage	c) rôle informatif et persuasif **Objectif** : créer une préférence pour notre marque **Techniques** : publicité intensive par les médias, actions promotionnelles	d) rôle de fidélisation de la clientèle **Objectif** : accroître le taux d'utilisation du produit **Techniques** : publicité par les médias, promotion sur les lieux de vente	a) rôle informatif **Objectif** : écouler les stocks **Techniques** : peu de publicité par les médias, maintien des actions promotionnelles

CONDITIONNEMENT
Élève p. 71

4 ⋆ *Le lait et le design*

quelques - longue - banal - fonctionnel - rectangulaire - grandissante - premier - naturel - liées - industrielle - première - immédiate - nouvelle - technique - verseur.

QUALITÉ
Élève p. 72

5 ⋆⋆⋆ *Qualité totale*

PROPOSITION : éléments devant figurer dans le résumé :
- Nouvelle image du consommateur.
- Origine du concept de qualité.

- Qualité et compétitivité entre entreprises.
- Analyse de deux chercheurs (P. Jocou et P. Meyer) de cette relation : rôle prépondérant du client, changement de stratégie des entreprises, nouvelle vision de l'objet.
- Changement des valeurs hiérarchiques au sein de l'entreprise lié à la nouvelle image du produit, stimulation du personnel si cela n'entraîne pas de chômage.

Élève p. 72

6 ⋆

1. fait son chemin - 2. mutation - 3. déployer - 4. abolie - 5. intrinsèquement - 6. lustre - 7. planifié - 8. expertise - 9. en connaissance de cause - 10. a fait ses classes.

ENVIRONNEMENT

Élève p. 73

[7] **

Désertification - surexploitation - nuisance(s) - décharge(s) - déchet(s) - pollution - gaspillage - résidus - réchauffement - déforestation.

R	A	C	O	N	T	E	R	U	N	C	O	R	S	A	N	O	L
V	E	R	S	I	O	N	P	A	C	I	F	I	Q	U	E	U	R
T	N	O	I	T	A	C	I	F	I	T	R	E	S	E	D	A	P
N	O	I	T	A	T	I	O	L	P	X	E	R	U	S	A	M	I
U	A	D	E	C	H	A	R	G	E	S	S	E	U	R	O	R	B
I	M	E	B	A	H	F	X	A	S	S	O	S	S	E	U	L	E
S	X	C	A	U	C	C	A	S	I	O	N	I	D	C	O	M	I
A	P	H	I	O	Z	Y	M	P	E	C	A	D	C	H	A	S	E
N	V	E	N	B	L	V	Y	I	I	X	E	U	N	A	N	A	B
C	F	T	O	N	I	U	E	L	S	C	J	S	K	U	P	D	O
E	N	S	I	S	D	E	G	L	L	F	O	U	G	F	U	E	W
S	H	A	T	M	E	V	K	A	W	I	W	X	U	F	O	I	E
H	C	T	U	P	L	I	R	G	U	I	T	A	R	E	Z	T	Y
Q	U	O	L	A	D	L	C	E	O	B	N	U	I	M	O	R	X
U	S	W	L	I	C	Y	N	I	B	O	U	T	R	E	F	A	I
D	E	F	O	R	E	S	T	A	T	I	O	N	T	N	T	B	R
E	C	O	P	O	G	I	E	Z	I	R	X	L	J	T	I	E	S
S	I	T	U	A	T	O	I	O	N	N	I	T	O	U	R	D	E

Élève p. 73

[8] **

- *Exercice libre*
- pluies acides : forêts d'Allemagne et d'Europe de l'Est ; assèchement de la mer d'Aral ; pollution de la Méditerranée...

Élève p. 74

[9] **

1. à qui - 2. chiffre - 3. l'entretien - 4. honorées - 5. immatriculations - 6. brevet - 7. doté - 8. défectueux - 9. tests - 10. label.

Élève p. 74

[10] ***

1. procédure - 2. processeur - 3. procédé - 4. processus.

RECHERCHE DE FOURNISSEUR

Élève p. 75

[11] **

décrocher - avec - pourquoi - recommandée - donc - visite - dans - relation - veuillez - rapidement/tôt/vite - ci-joint - proposition/offre - salutations.

Élève p. 75

[12] *** PROPOSITION :

Cartonnerie d'Aquitaine
ZI de l'Estuaire
33000 BORDEAUX
Tél. : 05 56 84 32 00 - Fax : 05 56 84 32 01

Conserverie La Basquaise
25, quai du Fronton
64500 SAINT-JEAN-DE-LUZ

Bordeaux, le 3 avril...

Madame,

Nous accusons réception de votre lettre du premier courant et vous remercions de l'intérêt porté à notre cartonnerie.

Nous fabriquons des emballages de qualité les plus variés : taille, résistance, couleur, etc. Outre nos produits standards, nous sommes à la disposition de nos clients pour trouver les solutions les mieux adaptées à leurs besoins.

Notre représentante, Mme Margot Béchaux, passera le 17 avril prochain si la date vous convient et vous proposera alors les différents modèles spécialement adaptés à vos conserves apparaissant sur le dépliant que nous avons eu le plaisir de recevoir.

En espérant commencer ainsi une longue relation commerciale, je vous prie d'accepter, Madame, l'expression de mes sentiments respectueux.

Jean-Paul BERTIER
Directeur

S.A.R.L. au capital de 200 000 F
RCS Bordeaux C 221 430 684

CONTREFAÇON
Élève p. 76

 ★★

achat - étranger - perdus - sociales - contrefaçon - organisations - votre - produits - normes - sanctions - contre - fax.

ATTENTION
L'achat de contrefaçon en France ou à l'étranger est un acte grave

CONTRE L'EMPLOI

30 000 emplois **perdus** pour la France, 10 000 en Europe

CONTRE LES ÉTATS

Les contrefacteurs ne paient ni charges **sociales**, ni impôts, ni taxes; L'argent de la **contrefaçon** nourrit les **organisations** criminelles.

POUR VOTRE SÉCURITÉ

Les **produits** contrefaisants ne respectent pas les **normes** de sécurité et peuvent porter atteinte à votre santé.

POUR VOUS

Des **sanctions** sévères sont prévues **contre** les détenteurs de contrefaçon : confiscation, amendes, prison, dommages, intérêts.

UNION DES FABRICANTS
Association rassemblant 800 marques à forte notoriété de tous les secteurs de l'industrie
16, rue de la Faisanderie - 75782 PARIS Cédex 16 - Tél. : 01 45 01 51 11 Fax : 01 47 04 91 22

ANALYSE DU MARCHÉ

Élève p. 79

1 **

a. 3 - b. 16 - c. 12 - d. 15 - e. 20 - f. 14 - g. 19 - h. 4 - i. 6 - j. 18 - k. 17 - l. 11 - m. 2 - n. 5 - 0. 9 - p. 7 - q. 8 - r. 10 - s. 13 - t. 1.

LE SONDAGE : UNE TECHNIQUE DE MARKETING

Élève p. 80

2 *Processus de réalisation d'une enquête par sondage*

***

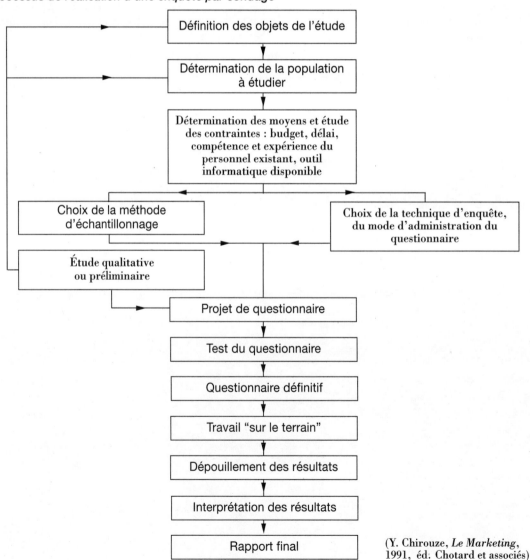

Définition des objets de l'étude

Détermination de la population à étudier

Détermination des moyens et étude des contraintes : budget, délai, compétence et expérience du personnel existant, outil informatique disponible

Choix de la méthode d'échantillonnage

Choix de la technique d'enquête, du mode d'administration du questionnaire

Étude qualitative ou préliminaire

Projet de questionnaire

Test du questionnaire

Questionnaire définitif

Travail "sur le terrain"

Dépouillement des résultats

Interprétation des résultats

Rapport final

(Y. Chirouze, *Le Marketing*, 1991, éd. Chotard et associés)

OBJECTIF : LE CONSOMMATEUR

ACTIONS PUBLICITAIRES

Élève p. 81

3 **

ACTIONS PUBLICITAIRES / TYPE DE PUB	de rendement	de lancement	directe	de prestige	collective
1. Trois articles pour le prix de deux	√	√			
2. Affichage massif	√	√			
3. Bon de réduction	√	√	√*		
4. Campagne pour un produit régional				√	√
5. Dégustation sur le lieu de vente	√	√		√	
6. Entrée gratuite pour un enfant accompagné de deux adultes	√				
7. Envoi de catalogue			√		
8. Lettre circulaire			√		
9. Mécénat d'entreprise				√	
10. Offre à durée limitée	√	√	√*		
11. Parrainage d'une manifestation sportive				√	
12. Promotion d'un centre commercial					√
13. Publi reportage				√	
14. Slogans réitératifs	√	√			
15. Distribution d'échantillons	√	√	√*		

* si envoi personnalisé

SUPPORTS PUBLICITAIRES

Élève p. 82

4 * *Huit médias originaux pour une campagne de pub mieux ciblée*
Description : 8, 1, 4, 2, 7, 3, 6, 5.
Cible : 7, 6, 1, 5, 4, 3, 2, 8.
Prix bruts : 4, 8, 3, 7, 1, 2, 6, 5.

Élève p. 83

5 ** *Que valent les supports de pub alternatifs ?*
PROPOSITIONS : éléments devant figurer dans le résumé :
- Encombrement et coût élevé des espaces publicitaires sur les médias traditionnels (télévision, radio...).

- Recherche par les entreprises de supports alternatifs mieux ciblés et moins chers (télécartes, tickets restaurants, chariots d'hypermarché...).
- Annuaire Minitel : page de publicité derrière la flèche du 11 (annuaire téléphonique) et affichage aléatoire durant la consultation ; cible à l'étude, mais plus d'un milliard de consultations par an : 5 735 F par an pour trois écrans derrière la flèche et 40 000 F par mois pour un bandeau de pub aléatoire.
- Chariots de grandes surfaces : affichette double à l'avant du chariot, clientèle de 750 hypermarchés et 4 000 supermarchés.
- Tickets restaurant : ticket supplémentaire, 650 000 salariés, couverture nationale, 65 000 F pour trois mois.

PUBLICITÉ ÉCRITE
Élève p. 84

 *

1. prospectus - 2. catalogue - 3. dépliant - 4. brochure - 5. circulaire - 6. affiche.

Élève pp. 84-85

 **

1. adéquation - 2. l'explosion - 3. amortir - 4. fléchi - 5. prospection - 6. remonter - 7. cible - 8. budgets - 9. profil - 10. créneau.

LETTRE DE RÉCLAMATION POUR RETARD DE LIVRAISON
Élève p. 86

 **

commande - réclamations/relances - regret - dépliants - dernier - toujours - retard - portes - décidé - donc - commande - ouverture - vous - préjudice - recevez/agréez.

RÉPONSE À UNE LETTRE DE RÉCLAMATION
Élève p. 87

10 *

Imprimerie Montellos
77, rue des Alliés
26000 VALENCE
Tél. : 04 75 68 90 34 - Fax : 04 75 68 92 56
SARL au capital de 150 000 F   R.C Valence 36 D 3478

Ets Bény & Frères
ZI de l'Isère
26100 ROMANS

V. Réf : V/ commande 12 avril...   Valence, le 27 avril...

Monsieur,

Nous accusons réception de votre lettre du 25 courant.
Nous regrettons vivement ce retard dû à une panne de scanner.
Nos techniciens travaillent sans relâche pour que votre commande puisse vous être livrée le plus rapidement possible.
Soucieux de conserver votre confiance, nous nous sommes permis d'imprimer, à nos frais, 1 000 dépliants supplémentaires.
Les 4 000 dépliants vous serons livrés dans 48 heures, directement à votre stand, avant l'ouverture du Salon.
Nous vous renouvelons toutes nos excuses pour ce malencontreux retard.
Nous espérons que vous ne nous en tiendrez pas rigueur, et que vous continuerez de nous honorer de vos ordres.
Veuillez agréer, Monsieur, l'expression de nos sentiments les plus dévoués.

José Montellos

DU PRODUCTEUR AU CONSOMMATEUR

CIRCUITS DE DISTRIBUTION

Élève p. 88

1 *

| Producteur | → | Consommateur |

Élève p. 88

2 **

| Agriculteur/Paysan | → | Minotier/Meunier | → | Boulanger | → | Client |
| Blé | | Farine | | Pain | | Pain |

Élève p. 89

3 **

| Éleveur | → | *Courtier* | → | Abattoir | → | Chevillard | → | Boucher | → | Consommateur |

Inconvénients :
augmentation des prix ; allongement des délais de mise à la consommation des produits ; multiplication des intermédiaires ; augmentation du nombre de manipulations...

LES DIX COMMANDEMENTS POUR BIEN ACHETER DANS LES GRANDES SURFACES

Élève p. 89

4 ** PROPOSITIONS :

2 → Préférez les produits sans marque, ils sont moins chers !

3 → Méfiez-vous des emballages séduisants, leur prix est répercuté sur le produit !

4 → Planifiez vos achats et évitez d'aller faire vos courses tous les jours !

5 → Priorité aux légumes et aux fruits de saison, ils sont meilleurs et surtout moins chers !

6 → Pour mieux comparer les prix, prenez comme référence le prix au kilo ou au litre !

7 → Soyez vigilants, les promotions ne sont pas toujours aussi intéressantes qu'elles en ont l'air !

8 → À qualité égale, les produits en vrac sont plus économiques !

9 → N'allez pas faire vos courses lorsque vous êtes déprimé(e) ou euphorique !

10 → Faites une liste et ne cédez pas aux tentations !

AGENTS DE LA FONCTION COMMERCIALE

Élève p. 90

5 ***

1. commissionnaire - 2. mandataire - 3. courtier – 4. agent commercial - 5. concessionnaire - 6. représentant.

ÉTABLISSEMENTS DU COMMERCE INTÉGRÉ

Élève pp. 90-91

6 *

1. hypermarché - 2. grand magasin - 3. supermarché - 4. supérette - 5. magasin populaire.

Élève p. 91

7 *

1. *filière* → Les trois autres substantifs désignent différents types de succursales, d'établissements industriels ou commerciaux.

2. *dommage* → Les trois autres substantifs impliquent un calcul de coût.

3. *verser* → Les trois autres verbes sont ses contraires.

4. *prévision* → Les trois autres substantifs impliquent le versement d'une somme d'argent.

5. *prêter* → Les trois autres verbes sont des synonymes.

Élève pp. 91-92

8 **

Premier mot : rayon - Les rayons d'un supermarché doivent toujours être bien approvisionnés.

Deuxième mot : marge - La marge de manœuvre en matière de politique économique des pays de l'Union européenne est assez réduite.

Troisième mot : circuit - Avant de commercialiser certains produits, il est important de bien choisir leur circuit de distribution.

TECHNIQUES DE VENTE

MÉTHODES DE VENTE

Élève pp. 92-93

9 *

1h ; 2f ; 3k ; 4a ; 5e ; 6g ; 7l ; 8c ; 9j ; 10i ; 11d ; 12b.

> **À savoir :**
> *Vente en libre service* : le client choisit les articles et règle ses achats à la sortie (supermarché, hypermarché…).
> *Vente en libre choix* : le client choisit les articles et règle ses achats à la caisse du rayon (grands magasins, certains rayons de supermarché…).
> *Vente en présélection* : le client présélectionne l'article et le demande à un vendeur (magasin spécialisé, certains rayons de supermarché…).

LE PLAN DE VENTE

Élève p. 94

10 **

Gd ; Af ; Cg ; Fe ; Ba ; Eb ; Hc ; Dh.

LA VENTE À L'HEURE DE L'INFORMATIQUE

Élève p. 95

11 * **Êtes-vous équipé pour mieux vendre ?**
…(TPE) sont apparus → *apparition des TPE.*

…ils accélèrent et sécurisent le paiement → *accélération et sécurité des paiements.*

…Trois types de matériels sont aujourd'hui proposés → *proposition de trois types de matériels.*

…tenir des statistiques et gérer des stocks → *tenue de statistiques et gestion des stocks.*

…adjoindre de nombreux accessoires → *adjonction de nombreux accessoires.*

…peut être connecté à un ordinateur → *possible connexion à un ordinateur.*

conquière le petit commerce → *conquête du petit commerce.*

…Il simplifie l'encaissement… → *simplification de l'encaissement…*

…supprime l'exigence d'une pièce d'identité → *suppression de l'exigence d'une pièce d'identité.*

…interrogent le fichier des cartes volées → *interrogation du fichier des cartes volées.*

…obtenir l'autorisation d'encaissement → *obtention de l'autorisation d'encaissement.*

…les données sont transmises → *transmissions des données.*

…le TPE peut aussi être loué → *possible location d'un TPE.*

Élève p. 96

12 ***
Exercice libre

Élève p. 96

13 *** PROPOSITIONS :

> **À savoir :**
> Un argumentaire de vente peut suivre le schéma suivant :
>   - *caractéristiques du produit*
>   - *avantages pour le client*
>   - *preuves*
>   - *possibles objections du client*
>   - *réfutation par le vendeur*

caractéristiques du produit : simplification et sécurisation des paiements ; gestion facilitée ; image de modernité ; amélioration du service au client…

avantages : meilleur contact avec le client ; diminution de la suspicion ; réduction des impayés ; image valorisante…

preuves : réduction des délais d'encaissement ; plus besoin de demander une pièce d'identité ; interrogation des fichiers des cartes volées ; autorisation d'encaissement…

possibles objections du client : prix d'achat trop élevé ; prélèvement d'un pourcentage sur chaque transaction ; coût de la communication téléphonique ; utilisation complexe ; pannes...

réfutation par le vendeur : possibilité de louer l'appareil ; paiement garanti : il convient de calculer le taux d'impayés et s'il est supérieur à 2 %, l'appareil est amorti, plus le taux d'impayés est élevé, plus l'achat est justifié ; installateurs qualifiés, brochure détaillée ; numéro vert, service après-vente...

LES DOCUMENTS DE VENTE
Élève p. 96

14 *

bon de commande - bulletin de commande - accusé de réception - avis d'expédition - bon de livraison - bon de réception - facture - facture d'avoir.

LA FACTURE
Élève p. 97

15 *

(lecture de gauche à droite) 5 - 9 - 6 - 3 - 11 - 10 - 1 - 7 - 8 - 2 - 4.

Optique Noëlle
29, rue Aristide Briand
63000 CLERMONT-FERRAND

Sté LAMURE
74, rue Le Corbusier
42100 SAINT-ÉTIENNE

Clermont-Ferrand, le ...

Monsieur,

Suite à notre conversation téléphonique d'aujourd'hui, je vous confirme que j'ai besoin, le plus rapidement possible, des huit montures « Léonardo » qui n'ont pas été livrées alors qu'elles figurent sur la facture n° 258/97 d'un montant de 12 650,50 F.

D'autre part, j'accepte de garder les six montures « Pacific » livrées en trop et sur lesquelles vous m'avez accordé un rabais de 5 %.

Dans l'attente d'une livraison rapide, je vous prie d'agréer, Monsieur, l'expression de mes salutations distinguées.

N. Bourelly

LES RÉDUCTIONS DE PRIX
Élève p. 98

16 **

1. ristourne - 2. remise - 3. escompte - 4. rabais.

Élève pp. 98-99

17 **

1. vert - 2. soumises - 3. affranchie - 4. anomalie - 5. agréé - 6. échantillons - 7. suivi - 8. l'assiette - 9. fâcheux - 10. forfaitaire.

ERREUR D'EXPÉDITION
Élève p. 99

19 ** PROPOSITION : *(voir lettre ci-dessous, à gauche)*

Élève p. 99

20 ***

LAMURE
Matériel Optique
Au service des opticiens depuis 1913

Optique Noëlle
29, rue Aristide Briand
63000 CLERMONT-FERRAND

Saint-Étienne, le ...

Madame,

Suite à votre lettre, je vous confirme que les six montures « Léonardo » manquantes ont déjà été expédiées par Chronopost et qu'elles vous parviendront sous 24h.

Vous trouverez, ci-joint, la facture n° 264/97 qui annule la précédente et qui tient compte du rabais de 5 % sur les six montures « Pacific » livrées en trop et que vous acceptez de garder.

Nous espérons que vous ne nous tiendrez pas rigueur de cette erreur de livraison et que vous continuerez de nous honorer de votre confiance.

Veuillez agréer, Madame, l'expression de nos sentiments dévoués.

P. Gizzi
Directeur Commercial

P.J. : Facture 264/97

SA au capital de 350 000 F   RCS St-Étienne
Bureaux : 74, rue Le Corbusier 42100 SAINT-ÉTIENNE
Tél. : 04 77 54 32 89 – Fax : 04 77 54 32 99
Dépôt : ZI du Pilon, Rte du Puy 42100 SAINT-ÉTIENNE
Tél. : 04 77 56 66 09 – Fax : 04 77 56 66 10

LES FINANCES DE L'ENTREPRISE
L'argent : le nerf de... l'entreprise !

LES COMPTES DE L'ENTREPRISE

Élève pp. 100-101

1 *

plan - écoulé - inventaire - utilisation - tableau - convention - brevets - incorporelles - créances - nature - provisions - réinvestie - exploitation - réserves - amendes.

Élève p. 101

2 *

BILAN	
Inventaire des ressources de l'entreprise	Emploi des ressources de l'entreprise
• Élément immobilisé – fonds de commerce – brevets – bâtiments ...	• Capitaux propres – capital social – bénéfices – réserves ...
• Élément circulant – stocks (matières premières, produits finis, semi-finis...) – créances – disponibilité (caisse, banque) ...	• Dettes – dettes financières – dettes d'exploitation – provision pour risques ...

INTERPRÉTER UN BILAN

Élève p. 101

3 *

VRAI : 3 - 7 - 8 - 9a - 10 pour les ordinateurs utilisés.
FAUX : 1 - 2 - 4 - 5 - 6 - 9b - 10 pour les ordinateurs fabriqués.

LA SANTÉ FINANCIÈRE DES ENTREPRISES

Élève p. 102

4 * *La VPC améliore ses positions*

FICHE TECHNIQUE DE LA SITUATION FINANCIÈRE DE LA VPC	

- Source : *rapport de la Banque de France*
- Nombre d'entreprises étudiées : *12*
  soit : - effectifs : *95 %*
        - salariés : *18 115*
        - CA : *28 938 millions de F*
 	
- Taux de marge commerciale du secteur
  de la distribution :
        - hypermarchés : *16,8 %*
        - grands magasins : *35,8 %*
        - VPC : *43,6 %*
	- Évolution du coût des achats : *- 4,3 %*
	
	- Évolution des ventes : *- 2,9 % pour 94/95*
	
	- Évolution des frais généraux :
	  net ralentissement (+ 6 %)
	
	- Importance des frais financiers : *faible*
	
	- Rapport des résultats nets sur
	  les fonds propres : *30 %*

LA BOURSE

Élève pp. 103-104

5 **

épargnants - intermédiaires - participations - collectifs - cote - contraignant - introduction - risques - propriété - actionnaire - dividendes - vote - actif - étendue - statuts - créance - terme - emprunt - fixe - convertibles - porteur.

Élève p. 104

6 **

ACTION : 1 - 3 - 4 - 5 - 6 - 8 - 9 - 11 - 12 - 13 – 16 - 18 - 19 - 20.
OBLIGATION : 1 - 2 - 4 - 5 - 7 - 10 - 14 - 15 - 17 - 19 - 20.

POINTS DE VUE SUR L'ACTION

Élève p. 105

7 *

1D - 2A - 3B - 4C.

LES IMPÔTS

Élève p. 106

8 * *À quoi servent nos impôts en 1995 ?*

22,6 % ; 14,8 % ; 13 % ; 11,5 % ; 11,4 % ; 10,9 % ; 10,7 % ; 5,1 %.

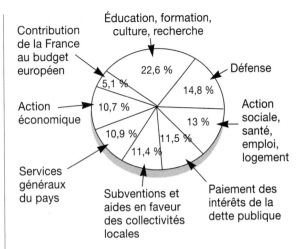

Éducation, formation, culture, recherche — 22,6 %
Défense — 14,8 %
Action sociale, santé, emploi, logement — 13 %
Paiement des intérêts de la dette publique — 11,5 %
Subventions et aides en faveur des collectivités locales — 11,4 %
Services généraux du pays — 10,9 %
Action économique — 10,7 %
Contribution de la France au budget européen — 5,1 %

ANALYSER DES DONNÉES

Élève p. 107

9 * *(voir tableau ci-dessous)*

Élève p. 107

10 **

abaisser - améliorer - apprécier - augmenter - baisser - chuter - (se) consolider - croître - décoller - (se) dégrader - dégringoler (fam.) - démarrer - (se) déprécier - (se) développer - diminuer - (s') effondrer - (s') élever - flamber - fluctuer - hausser* - (se) maintenir - osciller - progresser - ralentir - reculer - (se) redresser - relancer - (se) relever - reprendre - (se) stabiliser - (se) stabiliser - stagner.

* Ce verbe n'est pas employé en contexte économique et commercial.

↑	↓	↗	↘	∿	—
flambée	chute dégringolade effondrement	amélioration appréciation augmentation croissance décollage démarrage développement élévation hausse progression redressement relance relèvement reprise	abaissement baisse dégradation dépréciation diminution ralentissement recul	fluctuation oscillation	consolidation maintien stabilisation stabilité stagnation

Élève p. 107

11 *

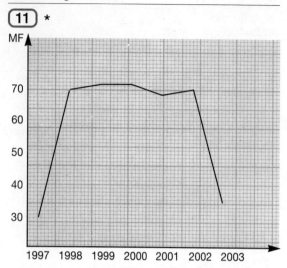

Élève p. 108

13 **

Premier mot : assiette
4. Ta soupe est excellente ! J'en reprendrais volontiers une assiette.

Deuxième mot : tiers
4. Les créanciers de ce commerçant devront décider s'ils acceptent de réduire d'un tiers le montant de leur créance.

Troisième mot : portefeuille
4. Les Français ont, dit-on, le cœur à gauche et le portefeuille à droite.

Élève p. 109

14 **

1. saisonnières - 2. promu - 3. clôturé - 4. l'épargne - 5. investissements - 6. du contentieux - 7. en demeure - 8. couvrir - 9. la taille - 10. provisionnel.

DEMANDE DE REPORT D'ÉCHÉANCE
Élève p. 110

15 *** *(voir lettre ci-dessous)*

Élève p. 111

16 *

Les impôts et taxes de l'État
1f - 2g - 3c - 4h - 5e - 6a - 7d - 8b.

Les impôts locaux
9j - 10k - 11l - 12i.

Recette principale des impôts
178, rue Garibaldi
69003 LYON

M. Paul CHADOURNE
TransAlpSA
543, route des Alpes
69005 LYON

Lyon, le 14 janvier …

Monsieur,

J'accuse réception, ce jour, de votre courrier du 12 courant dans lequel vous demandez un report, au 30 mars prochain, de l'échéance du règlement de la TVA perçue par votre entreprise.

Compte tenu des arguments avancés, je vous autorise, à titre tout à fait exceptionel, à reporter au 30 mars prochain votre règlement.

Je vous précise qu'au-delà de cette date, vous serez passible des pénalités prévues dans le Code des Impôts.

Veuillez agréer, Monsieur, l'expression de mes salutations distinguées.

B. Daraillans
Receveur Principal

11 LA VIE D'UNE ENTREPRISE

L'ENTREPRISE : UN ORGANISME VIVANT

Élève p. 113

1 * *L'innovation à fleur de peau*

ORIGINE DE LA SOCIÉTÉ
– Date de création : 1950
– Forme : Société de recherche
– Objectifs : Faire découvrir les travaux en cours
SOCIÉTÉ ACTUELLE
– Nom : Laboratoires Bailleul
– Forme juridique : SARL
– Année de constitution : 1980
– Nom du directeur : Olivier Bigou
– Secteur d'action : dermapharmacie
– Premier produit commercialisé : un produit anti-inflammatoire
– Caractéristiques des produits : la plupart peuvent être prescrits par les médecins et remboursés par la Sécurité sociale
ÉVOLUTION
– Premier rachat : les laboratoires Terrica à Louviers
– Objectif : commercialiser de nouveaux produits
– Effectif : 80 personnes
– Dernier chiffre d'affaires connu : 100 millions de francs
– Deuxième rachat : les laboratoires Bouteille
– Objectif actuel : l'exportation
– Formalités nécessaires pour exporter : autorisation de mise sur le marché (AMM) autorisation du ministère de la Santé d'exporter
– Implantation : au Liban
– Présence sur les marchés asiatiques : aux Philippines, au Cambodge, au Viêt-nam, en Thaïlande, à Singapour, en Malaisie
– Pays prospectés : la Syrie, l'Arabie Saoudite, Chypre

Élève p. 113

2 ★

PROPOSITION DE PLAN :
- Origine de la société (1950, société de recherche)
- Origine de son développement (commercialisation d'une nouvelle formule d'un produit anti-inflammatoire)
- Développement du créneau (dermapharmacie)
- Expansion de l'entreprise : rachat de divers laboratoires
- Nouvel objectif : l'exportation

L'ENTREPRISE EN DIFFICULTÉ

Élève pp. 114-115

3 ★★ Le cas Heuliez : des salariés en trop « prêtés » à des PME locales

effectif - plan de charge - réembaucher - reprise - préretraite - interne - sureffectif - loue - partiel - partenaires - délégué - perte - remboursée - pouvoirs publics - disponibilité.

Élève p. 115

4 ★

1. La chaîne de fabrication de la BX « familiale » de Citroën a dû être arrêtée, ce qui a entraîné une perte d'emploi pour plus de 50 % des ouvriers.
2. Un licenciement collectif définitif a pu être évité grâce à des mises en préretraite et à la récupération en interne des activités sous-traitées.
3. Quoique moindre, le problème persistait, et pour le personnel non employé, l'entreprise a organisé un système de « prêt de personnel inter-entreprise » ; cependant, une mise au chômage partiel du reste des employés n'a pu être évitée.
4. Les décisions ont été prises en association avec les partenaires sociaux.
5. L'entreprise a mis au point un plan de formation afin de préparer son personnel aux nouvelles technologies.

Élève p. 115

5 ★★★

1. faillite - 2. cessation de paiement - 3. banqueroute - 4. redressement judiciaire - 5. dépôt de bilan - 6. liquidation.

REDRESSEMENT JUDICIAIRE

Élève p. 116

6 ★★ (voir schéma page ci-contre)

Élève p. 117

7 ★★

1. en vigueur - 2. recul - 3. à l'issue - 4. étalement - 5. appliquée - 6. d'affacturage - 7. avoir recours - 8. fourniture - 9. ordre - 10. litiges.

Élève p. 118

8 ★★

Premier mot : poste
4. Tous les serveurs sont à leur poste : le banquet peut donc commencer.

Deuxième mot : exercice
4. Ce professeur donne toujours des exercices de gestion financière dès la première année de comptabilité.

Troisième mot : fonds
4. Les ouvriers de l'entreprise Sureau viennent de créer un fonds de solidarité pour aider les familles touchées par le chômage technique.

NOTE DE SERVICE

Élève p. 118

9 ★ PROPOSITION :

ATELIERS METALLO
Note de service n° 22

Objet : nouvel horaire
Destinataire : l'ensemble du personnel (technique et administratif)
Date : 23 avril...

L'horaire suivant : 7h – 15h, sera instauré à titre expérimental du 1er juin au 30 septembre inclus. Afin de connaître le résultat de cette expérience et l'opinion des travailleurs, un questionnaire leur sera fourni ultérieurement ; selon les résultats, cet horaire serait renouvelé l'année prochaine pour la même période.

J.-L. Ribaudeau
Directeur

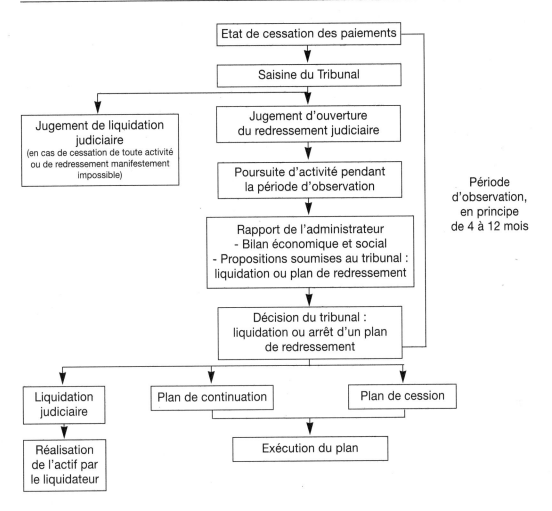

LETTRE DE RELANCE
Élève pp. 119-120

[10] ★★

Phrases qui correspondent à l'objet de la lettre :
5 - 7 - 8 - 11 - 13 - 15 - 17 - 18 - 19.
Ordre dans lequel doivent être écrites les phrases :
8 - 11 - 7 - 5 - 18 - 19 - 15 - 13 - 17.

Élève p. 120

[11] ★★

COMMANDE : 2
RÉPONSE À UNE LETTRE DE COMMANDE : 4 - 14 - 20.
ENVOI : 1 - 9.
PAIEMENT : 3 - 6 - 10 - 12 - 16.

RÉPONSE À UNE LETTRE DE RELANCE
Élève p. 120

[12] ★ PROPOSITION :

Quincaillerie Lafont
et Fils
12, rue de Belfort   M. Ribaudeau
68200 MULHOUSE   Ateliers METALLO
55, rue de Belfort
67100 STRASBOURG

Mulhouse, le 5 juillet...

Monsieur,

J'accuse réception de votre lettre de rappel du 2 dernier.

Je regrette de ne pouvoir effectuer le règlement immédiat de la facture n° 225 du 15 mars, et ce en raison de difficultés de trésorerie.

Je vous propose de régler la totalité de la somme au 1er septembre.

En comptant sur votre compréhension, je vous prie de recevoir, Monsieur, l'expression de mes salutations distinguées.

P. Lafont

12 LA BANQUE

UN PARTENAIRE INCONTOURNABLE

Élève p. 124

1 * *La banque*

RÉPONSES POSSIBLES :

1. La banque assure la garde de l'argent que lui confient ses clients et met à leur disposition différents moyens de paiement.
2. Les dépôts disponibles à tout moment sont appelés « à vue ».
3. Un chèque permet soit d'effectuer le règlement lors d'un achat, soit de retirer des espèces.
4. Grâce aux guichets automatiques, la carte bancaire permet de retirer de l'argent en dehors des heures d'ouverture des banques.
5. Grâce au prélèvement automatique, l'usager n'a plus à se soucier du paiement de ses dépenses régulières.
6. La banque est un véritable partenaire, surtout pour les PME, car grâce à un personnel spécialisé, elle leur permet de trouver des solutions adaptées à leurs besoins financiers.
7. Les banques françaises sont très bien implantées à l'étranger, elles disposent donc d'une excellente connaissance des marchés étrangers dont elles font profiter leurs clients.
8. Les banques mettent à la disposition de leurs clients des crédits destinés à l'exploitation, à l'importation, ou à des investissements.
9. Dans ce cas, l'entrepreneur court le risque de ne plus avoir le contrôle de son entreprise.
10. Les banques jouent essentiellement un rôle d'intermédiaire entre les entreprises et les épargnants. Elles interviennent également comme conseil au moment du lancement d'un emprunt ou d'une augmentation de capital.

SERVICES BANCAIRES

PRODUITS BANCAIRES

Élève p. 124

2 **

1 D - 2 A / G - 3 E / B - 4 A / G - 5 B / G - 6 G / H - 7 G / H - 8 F / H - 9 G / D

À savoir :
Les produits proposés varieront en fonction du montant demandé.
L'escompte, les facilités de caisse et les avances de fonds sont des produits réservés aux entreprises.

Élève p. 125

3 ** *Compte Actif : le compte courant qui prend en compte tous vos besoins*
5 - 3 - 6 - 4 - 1 - 2.

Élève p. 126

4 *

VRAI : 3 - 7 - 9.
FAUX : 1 - 2 - 4 - 5 - 6 - 8 - 10.

Élève p. 126

5 *

- Déposer

J'ai déposé l'argent reçu pour mes étrennes sur mon livret de la Caisse d'Épargne.
- Placer

En période de récession économique, il est difficile de savoir où placer son argent.
- Retirer

Grâce aux distributeurs automatiques, il est possible de retirer des espèces à toute heure du jour et de la nuit.
- Verser

L'apprenti a dû ouvrir un compte dans une banque pour que son salaire puisse lui être versé.
- Virer

Ma fille est partie étudier à l'étranger et je lui vire régulièrement de l'argent sur son compte.

Élève p. 126

6 **

1. *Titulaire*, dans votre établissement, d'un compte que je n'utilise plus depuis longtemps, je désire le *clôturer* ; en conséquence, je vous prie de *créditer* du *solde* mon compte au Crédit Agricole dont vous trouverez le *RIB* ci-joint.
2. Veuillez trouver ci-joint un chèque de 1 500 F dûment *endossé* pour couvrir le *découvert* de

mon compte et pour lequel vous allez me faire payer des *agios*. À partir du mois prochain, je pourrai *approvisionner* mon compte de manière plus régulière et faire ainsi face à mes *dépenses*.

MOYENS DE PAIEMENT
Élève p. 127

 **

espèces - chèque - carte de crédit - virement - prélèvement automatique - lettre de change.

Élève pp. 127-128

 **

1. restituera - 2. l'objet - 3. établissement - 4. relevé - 5. liquide - 6. tiré - 7. émettre - 8. échéance - 9. dispositions - 10. exemptée.

LETTRE D'OPPOSITION
Élève p. 128

10 *** *(voir lettre ci-dessous)*

LETTRE DE DEMANDE DE RENSEIGNEMENTS COMMERCIAUX
Élève p. 129

 ***

une fiche - part - sur - pour - montant - payable - agence/établissement - avant - commerciale - désire, désirerais, souhaite, souhaiterais, voudrais - informations - matrimonial - installation - règlements/paiements - affaires - personnelle - confidentiel - discrétion - remerciements - prie.

AU FOURNIL
Jacques BÉVILACQUA
Boulangerie artisanale
25, route du Refuge
38860 LES DEUX-ALPES
Tél./Fax : 04 79 65 89 43

BNP
12, rue de l'Isère
73200 ALBERTVILLE

Objet : Confirmation d'opposition

Les Deux-Alpes, le 20 juillet...

Monsieur le Directeur,

Suite à notre conversation téléphonique de ce matin, 10h30, je vous confirme ma demande d'opposition sur le chèque n° 235 7896 d'un montant de 3 252,89 F, tiré sur votre banque et à l'ordre de M. Fleuron.

En effet, ce dernier a été victime d'un vol et ce chèque, entre autres, lui a été dérobé. Une plainte a été dûment déposée au commissariat d'Albertville en date d'aujourd'hui.

Je vous demande donc de faire le nécessaire pour que le chèque en question ne soit pas débité de mon compte s'il était éventuellement présenté à l'encaissement.

Avec mes remerciements, je vous prie d'agréer, Monsieur le Directeur, l'expression de mes salutations distinguées.

CCP : Les Deux-Alpes R 907 Y   RC : Albertville B 37 134 7685

13 LE TRANSPORT
LES ASSURANCES

LOGISTIQUE

Élève pp. 130-131

1 * *Monsieur, savez-vous qu'en regroupant vos stocks, vous faites un pas vers vos clients ?*

ALPHA
Raison sociale : Alpha
Activité : bureautique
Nombre de références : 11 300
Clientèle : revendeurs, réparateurs, responsables d'antennes techniques régionales
Localisation des dépôts : un dépôt central en Île-de-France, sept dépôts régionaux
Organisation de la distribution : approvisionnement des dépôts régionaux par transporteurs traditionnels à partir du dépôt central et approvisionnement des clients par transporteurs régionaux propres à partir des dépôts régionaux
Diagnostic : organisation susceptible d'être améliorée
Objectifs : réduction des coûts d'entreprosage et d'immobilisation des stocks, plus grande compétitivité
Stratégie adoptée : suppression des dépôts régionaux, informatisation de la prise de commandes
Intervention de Chronopost : installation d'un système informatisé d'aide à la préparation des expéditions, livraison directe à partir de l'unique dépôt

Résultats : - réduction du stock immobilisé de plus de 40 %   - livraison des clients en J + 1 matin
  - récupération de 4 500 m² d'entrepôts   - satisfaction des clients
  - réduction de 35 % du coût de la logistique

OBLIGATIONS DES PARTIES

Élève p. 131

2 **

OBLIGATIONS	EXPÉDITEUR	TRANSPORTEUR	DESTINATAIRE
1. Prendre livraison de la marchandise			√
2. Payer le prix du transport si l'expédition se fait en port payé	√		
3. Fournir au transporteur tous les documents nécessaires	√		
4. Vérifier les marchandises prises en charge		√	
5. Fournir toutes les indications utiles au transporteur	√		
6. Mettre les marchandises à la disposition du transporteur	√		
7. Livrer les marchandises en bon état		√	
8. Vérifier les marchandises livrées			√
9. Emballer convenablement les marchandises	√		
10. Payer le prix du transport si l'expédition se fait en port dû			√

Élève p. 131

3 *

En principe : 9 - 6 - 3 - 2 - 5 - 4 - 7 - 1 - 8 - 10.

ÉTIQUETAGE DES MARCHANDISES
Élève p. 132

4 * *(voir étiquettes ci-dessous)*

Élève p. 132

5 *

Ne pas rouler : marchandises fragiles.
Ne pas empiler : cartons contenant des bouteilles plastiques, briques (emballages en carton)...

Garder à l'abri de l'humidité : marchandises craignant l'eau.
Ne pas réfrigérer : marchandises craignant le froid.
Ne pas utiliser de crochet : emballages en carton, en plastique.
Manipuler avec précaution : marchandises fragiles.
Protéger de la chaleur : produits frais, fleurs...
Ne pas secouer : produits fragiles.
Périssable : produits frais.
Conserver réfrigéré : produits pour lesquels la chaîne du froid ne doit pas être interrompue.
Fragile : marchandises fragiles.

RÉCLAMATION
Élève p. 133

6 *** *(voir lettre ci-contre)*

COUVERTURE DES RISQUES
Élève p. 134

8 **

1. risque - 2. prime - 3. indemnité - 4. sinistre - 5. résilier - 6. police - 7. avenant - 8. malus - 9. bonus - 10. franchise - 11. dommage - 12. avarie - 13. clause - 14. courtier - 15. déclaration - 16. indemnisation - 17. préjudice - 18. multirisque - 19. tiers - 20. témoin

A	I	E	M	N	D	C	V	B	S	N	I	O	M	E	P
Z	E	T	U	O	T	F	Y	U	I	P	U	S	D	G	O
S	U	I	L	I	A	R	L	F	G	H	J	M	I	L	L
I	Q	N	T	T	U	A	V	E	N	A	N	T	N	O	I
N	S	M	I	A	P	N	S	Q	R	T	D	B	D	U	C
I	I	E	R	R	R	C	R	E	S	I	L	I	E	R	E
S	R	D	I	A	E	H	Z	S	V	B	E	T	M	Y	I
T	E	N	S	L	J	I	F	U	X	C	T	E	N	R	M
R	Y	U	Q	C	U	S	O	A	E	O	A	M	I	G	B
E	M	D	U	E	D	E	B	L	G	U	C	O	S	F	E
T	T	A	E	D	I	I	O	C	A	R	V	I	A	O	I
H	I	R	L	R	C	T	N	I	M	T	E	N	T	U	T
S	D	E	A	U	E	S	U	R	M	I	E	M	I	R	P
X	E	V	R	W	S	Y	S	U	O	E	S	A	O	L	D
E	A	Y	I	S	M	V	C	O	D	R	P	K	N	R	O

Élève p. 135

9 ** *Votre Agent Général AXA Assurances : l'expert de votre sécurité professionnelle*

1. La multirisque professionnelle d'AXA Assurances s'adapte parfaitement aux besoins des professionnels dans leur domaine d'activité.
2. L'Agent général aide le client à choisir le montant des garanties, des franchises.
3. En déterminant avec précision les risques qu'il faut assurer et éventuellement les franchises.
4. Le contrat est rédigé en termes clairs et précis, avec des tableaux à l'appui.
5. Les charges fixes sont, par exemple, le loyer, les remboursements de crédits, les salaires, les taxes locales...
6. La garantie perte d'exploitation couvre les frais occasionnés par la réduction ou l'interruption de l'activité à cause d'un incendie, d'un dégât des eaux.
7. Elle permet à l'artisan ou au commerçant de faire face à ses charges fixes malgré la perte de revenus provoquée par l'arrêt de son activité.
8. La responsabilité professionnelle d'un commerçant ou d'un artisan peut être mise en cause si lui ou un de ses employés commet une faute dans l'exercice de son activité.

Verrerie Alsacienne
Service commercial
ZI du Pré Clos
67190 MUTZIG

Laboratoire d'analyses
Phydoc
28, place des Tilleuls
88200 REMIREMONT

Mutzig, le 14 octobre...

Madame,

Nous accusons réception de votre lettre du 12 courant qui nous a désagréablement surpris.

En effet, le soin particulier que nous apportons à l'emballage de nos produits fait que ce genre de problème est extrêmement rare.

Nous avons pris contact avec notre transporteur qui nous a confirmé que la livraison s'est effectuée dans les conditions habituelles et sans incident.

Notre compagnie d'assurance prendra directement contact avec vous afin de fixer un rendez-vous pour le passage de leur expert.

Nous avons expédié, ce matin même, par Chronopost, 35 nouvelles pipettes que vous recevrez sous peu.

Nous vous assurons que nous redoublerons notre vigilance afin que ce genre d'incident ne se reproduise plus.

Avec nos sincères excuses pour ce contretemps, nous vous prions d'agréer, Madame, l'expression de nos salutations dévouées.

Jacques Bache
Directeur Commercial

Élève p. 136

10 ★★★

AXA ASSURANCES

Brest, le 16 mars...

Cher Client,

Depuis longtemps, vous faites confiance à AXA Assurances et à notre équipe pour la couverture de vos risques personnels et/ou professionnels.

AXA Assurances, dans son souci constant de mieux répondre aux besoins de ses clients, lance un nouveau contrat, la multirisque professionnelle.

Par ses possibilités d'extensions spécifiques, elle s'adapte parfaitement aux exigences de chaque profession ou commerce (responsabilité civile, dommages subis par les équipements, le matériel transporté...).

Avec ce nouveau contrat, encore plus clair et précis que les précédents, vous pouvez vous confectionner une véritable assurance professionnelle *sur mesure*.

En effet, vous choisirez le montant et l'étendue de vos garanties et de vos franchises, ce qui entraînera une diminution substantielle de vos cotisations.

Une adaptation de votre ancien contrat à la multirisque professionnelle vous permettra de bénéficier d'une protection plus étendue grâce à la Garantie Perte d'Exploitation que vous pourrez également souscrire.

Afin de profiter au maximum des nombreux avantages de la multirisque professionnelle, nous vous proposons de recevoir, sans engagement de votre part, la visite d'un de nos collaborateurs avec qui vous évaluerez de façon très précise les risques à couvrir, au mieux de vos intérêts.

Pour ce faire, nous vous demandons de bien vouloir prendre contact avec Claire DOUMENC, chargée du suivi de votre dossier, qui vous fixera un rendez-vous dans nos bureaux ou dans votre établissement, à votre convenance.

Nous vous remercions de l'intérêt que vous ne manquerez pas de porter à ce nouveau contrat mis au point par les meilleurs spécialistes de l'assurance professionnelle.

Nous nous tenons, comme toujours, à votre entière disposition pour toute information complémentaire.

Veuillez agréer, cher Client, l'expression de nos salutations distinguées.

Loïc QUENETTE
Agent général

UN PEU D'HUMOUR !

Élève p. 136

12 ★★★ PROPOSITIONS :

- Ne laissez pas traîner d'objets pointus (ouvre-lettre, trombone, agrafe...) !
- Vérifiez que vous avez fait le dernier rappel de votre vaccin antitétanique.
- Évitez de transporter plus de cinq dossiers à la fois.
- Révisez régulièrement le fonctionnement de votre taille-crayon et de votre agrafeuse.
- Ne tamponnez pas de documents plus de cinq minutes d'affilée sans faire de pause.
- Évitez de lever brusquement la tête lorsque quelqu'un vous adresse la parole.

Élève p. 137

13 ★★

1. Catamaran : Ne sert pas au transport de marchandises.
2. Tracteur : Idem.
3. Viaduc : Idem.
4. Voie publique : Espace appartenant au domaine public.
5. Lettre de change : Il ne s'agit pas d'un document de transport.

Élève p. 137

14 ★★

1. en œuvre - 2. performantes - 3. préavis - 4. parrainée - 5. entrevoir - 6. le fret - 7. contribuables - 8. déterminant - 9. barrières - 10. acheminées.

MATÉRIEL INFORMATIQUE

Élève p. 138

[1] *

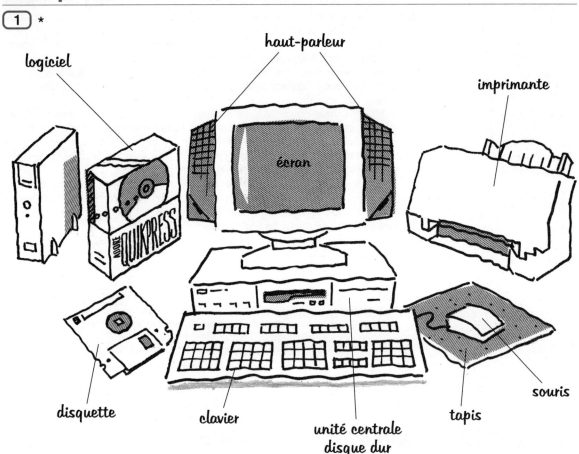

logiciel — haut-parleur — écran — imprimante — disquette — clavier — unité centrale disque dur — tapis — souris

Élève p. 139

[2] * *Miser sur le multimédia*

VRAI : 1 - 5 - 8.
FAUX : 2 - 3 - 4 - 6 - 7.

INTERNET
Élève pp. 140-141

[3] * *Entrez dans le réseau Internet*

PROPOSITIONS :
A. 1. Présentation d'Internet, des modalités d'accès et de l'intérêt pour une PME de s'y mettre.
2. Internet est un réseau qui met en relation des milliers de réseaux déjà reliés entre eux.

3. À l'origine, Internet est un réseau créé par le Pentagone pour permettre à différents sites militaires de communiquer entre eux en cas de guerre.
4. Le premier système d'exploitation a permis de découvrir les trois applications fondamentales d'Internet : le courrier électronique, le transfert de fichiers et les forums de discussion.
5. La transmission de messages, de documents ou d'informations se fait en dehors des services postaux, à toute heure et quelle que soit la taille du document. La recherche et la confrontation d'informations n'impliquent plus de déplacement.
6. Les premiers utilisateurs individuels d'Internet ont été les étudiants et les employés des grandes entreprises.

7. L'essor d'Internet a été facilité par la mise sur le marché d'outils et de logiciels de communication plus puissants et à des prix abordables.

8. WWW est l'abréviation de *World Wide Web* qui signifie « toile d'araignée mondiale ».

9. Sa principale caractéristique est sa simplicité d'utilisation.

10. Pour se connecter à Internet, il suffit de posséder un ordinateur, un logiciel spécifique, un navigateur et un modem.

11. L'accès à Internet se fait par le biais d'un abonnement à un opérateur relié au réseau qui vous donne un code d'accès et un mot de passe.

12. Grâce à Internet, une entreprise peut échanger des courriers, des documents, des informations, figurer dans des annuaires, rechercher des informations, réaliser des opérations commerciales ou communiquer avec son personnel sans être tributaire des services postaux.

13. La meilleure solution pour une entreprise est de se mettre, dans un premier temps, sur le site d'un fournisseur d'accès et de profiter de son savoir-faire.

14. Le conseil d'Olivier Brusset est la prudence : une entreprise doit réfléchir aux avantages et aux inconvénients avant de se lancer sur Internet.

15. Le prix de revient de l'opération (investissement en matériel, en formation du personnel...) constitue un obstacle non négligeable.

16. La présence sur Internet doit relever d'un choix stratégique de l'entreprise : une page Web mal faite, peu dynamique, peut être une terrible contre-publicité.

B. *Internet = mode passagère :*
- Engouement éphémère pour la nouveauté.
- Développement encore faible dans de nombreux pays.
- Problème de langue.
- Moyens de paiement peu fiables.
- Manque de garantie pour la confidentialité des échanges...

Tournant décisif dans l'évolution de la communication :
- Baisse constante du prix du matériel informatique.
- Mondialisation des échanges.
- Communication en temps réel.
- Diminution substantielle des déplacements.
- Entreprise ouverte 24h/24.
- Accès à moindre coût aux marchés étrangers.
- Informations accessibles à tous...

INFORMATIQUE ET MARKETING
Élève p. 142

 ** *Exposer dans un salon*

démarche - offre - pays - ambassades - institutions - clients - novateur - biais - différentes - données - maîtrisées - sophistiqué - participation - outil - place.

LE TÉLÉPHONE ET SES SERVICES
LE MINITEL
Élève p. 143

 **

rendre plus facile - facile - mot de passe - utilisation - selon - s'approprier - mode d'emploi - incorporé - contemporaine - innovation - guider - temporaire - désactivation - allier - utilisateur.

Élève p. 143

6 ***

Exercice libre.

LA TÉLÉCONFÉRENCE
Élève p. 144

 *** *Les techniques qui améliorent la productivité*

à - sur - pour - chez - par - à - aux - par - chez - en - de - par - de - au - de - avec - de - dans - d' - de.

Élève p. 144

8 *

1. CD : Il ne permet pas de stocker des informations.
2. photocopieur : Il ne permet pas de transmettre des informations.
3. se promener : Il n'appartient pas au vocabulaire d'Internet.
4. serviteur : Idem.
5. magnétoscope : Il ne fait pas partie d'un équipement informatique.

Élève pp. 144-145

9 **

date	lettre
carte	agent
facture	crédit
fonds	vente
règlement	délai

Élève p. 145

10 **

1. convivialité - 2. autoroutes - 3. franchise - 4. débrancher - 5. interface - 6. décrochez - 7. données - 8. retour - 9. saisie - 10. compétitivité.

Élève p. 146

11 ** PROPOSITIONS :

1. **Si** les marchandises ne sont pas livrées **dans un délai de** 48h, nous annulerons notre commande.
2. **À la suite** d'une rupture de stocks, nous ne serons pas en mesure de vous faire parvenir les marchandises à la date prévue.
3. **Puisque** vous serez de passage à Genève la semaine prochaine, **nous aimerions** vous rencontrer.
4. **Il ne nous est pas possible** d'accepter votre demande de report d'échéance, **d'autant plus que** nous devons tenir nos propres engagements.
5. **Les résultats** se sont nettement améliorés au cours du dernier exercice, **en conséquence,** nous pourrons envisager de reprendre nos investissements.

NOTE DE SERVICE
Élève p. 146

12 ** *(voir lettre ci-dessous)*

Élève p. 147

15 *** PROPOSITIONS :

Lunettes virtuelles : mieux scruter les marchés potentiels, voir l'avenir en rose...
Antenne parabolique : être à l'écoute du consommateur, épier la concurrence, être informé...
Ordinateur sac-à-dos : faire remonter les informations en un temps record, surveiller les stocks, passer les commandes instantanément...
Câble : être « branché », être en contact avec le siège...
Réserve de cristaux liquides : éviter les pannes, les baisses d'activité...
Bottes de sept lieues : mieux franchir les obstacles, se démarquer de la concurrence, progresser plus vite...
Signature radar : éviter les falsifications, se démarquer des concurrents...
Stéréo : mieux entendre le client...
Coquille d'imprimerie : se protéger des coups bas de la concurrence...
Gants : saisir rapidement toutes les données...
Rétroviseur : surveiller les progrès de la concurrence, protéger ses arrières...

ARMEL SA

Le 20 décembre...

Note de service : n° 19/...

Destinataire : l'ensemble du personnel
Objet : contrôle des dépenses téléphoniques

　　Depuis plusieurs mois et sans relation avec un réel accroissement de notre activité, les frais de téléphone de l'ensemble des services sont en constante hausse, malgré les recommandations adressées aux différents responsables.
　　Il a donc été décidé que, le 1er janvier prochain, serait installé un logiciel relié au standard qui fournira une liste mensuelle des numéros appelés avec indication de l'heure, de la durée et du montant de la communication pour chacun des postes et des services.
　　La décision a été prise dans l'intérêt de l'entreprise qui doit maintenir sa compétitivité face à ses concurrents et cela dans un contexte de plus en plus difficile.
　　La direction compte sur la compréhension et la collaboration de chacun.

Guy DELTEIL
Directeur financier

Imprimé en France par I.M.E. 25110 Baume-les-Dames - Dépôt légal n° 07235-11/2000
Collection n° 23 - Edition n° 03
15/5081/3